Мужчины, покорившие мир

Софья Бенуа

Муслим Магомаев
Преданный Орфей

Москва
алгоритм
2015

УДК 784.071.2(092)(470)
ББК 85.364.1-8
    Б46

Б46
Бенуа, Софья.
    Муслим Магомаев. Преданный Орфей / Софья Бенуа. — Москва : Алгоритм, 2015. — 256 с. — (Мужчины, покорившие мир).

    ISBN 978-5-906789-33-4

Муслим Магомаев своей внешностью, своим уникальным баритоном завораживал, сводил с ума всех женщин Советского Союза без исключения. Его носили на руках, часами дожидались после концертов, засыпали его гостиничные номера мешками писем с признаниями в искренней и безнадежной любви. В зените славы Магомаев мог позволить себе пять лет жить в трехкомнатном люксе гостиницы «Россия» и усаживать за стол всякий раз по нескольку десятков человек. Певцу приписывали романы с самыми известными красавицами советской страны – актрисами Натальей Фатеевой и Натальей Кустинской, певицами Эдитой Пьехой и Ириной Аллегровой. Красивый, умный, щедрый, с голосом изумительной красоты — какое женское сердце могло устоять перед ним?! Но нашлась та, перед которой не устояло сердце самого Муслима Магомаева, — примадонна Большого театра Тамара Синявская… Для этой великолепной звездной пары была написана самая знаковая песня, исполняемая Магомаевым: «Ты — моя мелодия, я — твой преданный Орфей»… Его одинаково сильно любили и народ, и власть. К нему как к сыну относился глава Азербайджана Гейдар Алиев, его обожали министр культуры Екатерина Фурцева, председатель КГБ Юрий Андропов, глава государства Леонид Брежнев. И вдруг любимец властной элиты и миллионов поклонников, счастливый в семейной жизни, выдающийся певец в расцвете сил решает оставить сцену. Что стояло за этим уходом? Какие интриги плелись вокруг его имени при жизни и после смерти? Куда утекли его миллионы? И кто из американских липовых «детей» пытался «распилить» наследство великого «бакинского соловья» Муслима Магомаева?

УДК 784.071.2(092)(470)
ББК 85.364.1-8

Глава 1

«Я ДОЛЖЕН БЫЛ ПОВТОРИТЬ ПУТЬ МОЕГО ДЕДА»

Чарующий голос, незаурядное дарование, восточное обаяние и притягательная мужественность — это все о нем, о замечательном исполнителе Муслиме Магомаеве. Биографическая справка, изложенная одной строкой, свидетельствует: кумир миллионов *Муслим Магометович (Магомет оглы) Магомаев* (17 августа 1942, Баку — 25 октября 2008, Москва) — советский, азербайджанский и российский оперный и эстрадный певец (баритон), композитор, народный артист СССР (1973).

Муслим Магомаев родился в конце лета 1942 года в Баку. Его отец — Магомет Магомаев, театральный художник, погиб на фронте за 15 дней до священной Победы, мать — Айшет Магомаева (сценический псевдоним — Кинжалова), драматическая актриса, сталинская стипендиатка. Дед по отцу — Абдул-Муслим Магомаев, азербайджанский композитор, чьё имя носит Азербайджанская государственная филармония, является одним из основоположников азербайджанской

классической музыки. О происхождении матери Муслим Магомаев писал, что она родилась в Майкопе, её отец по национальности был турком, а мать наполовину адыгейкой, наполовину русской. О происхождении отца он говорил, что мать его была татаркой (его бабушка Багдагуль-Джамал была родной сестрой Али и Ханафи Терегуловых), а кем по происхождению были предки по его отцу, неизвестно. В этой творческой семье не мог родиться заурядный ребенок. Так думали и молодые родители, когда нарекли новорожденного именем знаменитого предка.

Впоследствии став автором мемуаров, сам наследник имени и творчества признавался:

— В детстве мы не любопытны к своим корням, к истории собственного рода. И мне, Муслиму Магомаеву-младшему, надо было бы еще мальчишкой подробнее узнать о жизни Муслима Магомаева-старшего со слов тех, кто был с ним рядом. С годами я, разумеется, наверстал, как мог, упущенное в детстве и юности, — стал интересоваться жизнью и творчеством своего знаменитого деда. Смотрел его архивы, читал письма, а главное, слушал дедовскую музыку. И хоть судить о его жизни я могу, конечно, только косвенно, я всегда был твердо уверен в том, что мой дед — великий композитор и дирижер. Я должен был повторить его путь — стать и композитором, и дирижером, и пианистом. А чтобы закрепить за мной эту заочную идею, меня и нарекли при

Муслим с мамой

*рождении именем деда. Так я стал полным его тез-
кой. В то время, как мои сверстники играли на полу
машинками и оловянными солдатиками, я ставил де-
довский пюпитр, брал в руки карандаш и руководил
воображаемым оркестром[1].*

В биографии дедушки певца М. Магомаева есть яркие
страницы, свидетельствующие о его незаурядных талантах.
Ведь не зря его имя носит Азербайджанская государственная
филармония. *Абдул Муслим Магомет оглы Магомаев* (Муслим Магометович Магомаев; 18 сентября 1885, Грозный, Тер-
ская область, Российская империя — 28 июля 1937, Нальчик,
СССР) — азербайджанский советский композитор и дирижёр, заслуженный деятель искусств Азербайджанской ССР
(1935), один из основоположников азербайджанской классической музыки.

Маленький Абдул Муслим раскрывал и проявлял свои
таланты еще во времена существования Российской империи; мальчик обучался в Грозненской городской школе, где
начал играть на скрипке, затем в Закавказской учительской
семинарии в Гори. Освоив игру на гобое, Магомаев стал солистом семинарского оркестра и иногда выступал с ним как
дирижёр. В это же время он изучает азербайджанскую народ-
ную музыку. Окончив семинарию, начал работать в училище
в Ленкорани, где организовывал музыкальные вечера и те-
атральные представления. В 1911 году Магомаев перебрался
в Баку, где стал солистом оркестра Азербайджанского музыкального театра, а вскоре — и его дирижёром.

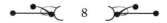

В 1919 году Магомаев сочиняет своё первое крупное сочинение — оперу «Шах Исмаил», ставшую одной из наиболее известных его работ. В первой редакции оперы было много разговорных эпизодов, а музыка была основана на принципах импровизации и мугама, однако во второй и третьей редакциях диалоги были заменены на речитативы. Будучи одним из первых произведений, в которых идеи народной музыки решены в рамках развитых оперных форм, «Шах Исмаил» стал важной вехой в развитии азербайджанской музыки[2].

После свершения большевистского переворота в 1917 году и насаждения советской власти, дирижер активно включается в новые процессы, в которых (как и многие творцы) видит созидательное начало. Вместе с активной композиторской деятельностью, Магомаев ведет общественную работу: возглавляет азербайджанское отделение Народного комиссариата просвещения, становится художественным руководителем музыкального театра, в 1929 году — музыкальным руководителем Азербайджанского радиоцентра. В 1935 году ему было присвоено звание Заслуженного деятеля искусств Азербайджанской ССР.

Среди произведений, принадлежащих таланту Магомаева-старшего, не только «Шах Исмаил» (1915—1919), но и другие оперы — «Хоруз-бей» (1929), «Наргиз» (1935), оркестровые сочинения «На полях Азербайджана» (1934), «Танец освобождённой азербайджанки» (1935), а также музыка к театральным постановкам и кинофильмам.

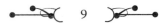

Об этом незаурядном человеке писали статьи и книги; известно, что одну из книг о Магомаеве-старшем написала преподаватель Бакинской консерватории Гамар Исмайлова, тетя Муслима Магомаева-младшего.

Отдать дань памяти этому незаурядному талантливому композитору и музыканту сумел и его полный тезка, когда издал воспоминания (книги выходили под названиями: «Живут во мне воспоминания» и «Любовь моя — мелодия»), где он подробно рассказывает о своей семье.

«— Что касается деда, то я его не знал и не мог знать — он умер в 1937 году в пятьдесят с небольшим от скоротечной чахотки. За пять лет до моего рождения.

Мой дед Муслим Магомаев вырос в семье кузнеца-оружейника, где любили музыку. Очень одаренным был старший брат деда Магомет, прекрасно игравший на гармони и флейте. Во время учебы в Грозненской городской школе он даже руководил ученическим оркестром. Магомет и приобщил младшего брата к музыке: Муслим рано стал играть на восточной гармони. Потом, тоже поступив в Грозненскую городскую школу, он научился там играть на скрипке, участвовал в школьных концертах.

Свое образование Муслим Магомаев продолжил в Закавказской учительской семинарии в городе Гори, где готовили учителей для просвещения народов Кавказа. В семинарии дед познакомился с Узеи-

Абдул-Муслим и Байдигюль Магомаевы. 1907 год

ром Гаджибековым, с которым потом дружил всю жизнь. Оба они впоследствии стали основоположниками азербайджанского профессионального музыкального творчества. Интересно, что мой дед и Узеир Гаджибеков родились в один день и в один год — 18 сентября 1885 года; в дальнейшем они даже породнились, женившись на сестрах.

В Горийской семинарии дед научился игре на гобое. Как скрипач и гобоист он играл в оркестре, состоявшем из учащихся семинарии. В восемнадцать лет был ведущим музыкантом оркестра и даже заменял дирижера. Там же, в Гори, он получил и знания музыкальной теории. После окончания семинарии деду вручили в подарок скрипку.

Работая учителем народной школы, сначала в одном из сел Северного Кавказа, а потом в Ленкорани, где он преподавал историю, химию, русский язык, дед продолжал отдаваться любимому занятию — музыке: создал оркестр из своих учеников, хор, организовывал концерты, где исполнялись и народные песни, и произведения популярных жанров, и собственные его сочинения. Дед часто выступал на таких концертах и как солист-скрипач.

С 1911 года, сдав экстерном экзамен в Тифлисском учительском институте, дед с семьей поселился в Баку, продолжая преподавать в школе. В Баку его музыкальная деятельность сделалась особенно активной. Это и стало главным делом его жизни.

Здесь он дебютировал как дирижер, потом как оперный композитор. Он написал две оперы — «Шах Исмаил» и «Наргиз»...

Каким был мой дед в жизни? Со слов родных я знаю, что был он человеком очень щедрым, всегда готовым помогать людям. Сохранилось письмо Узеира Гаджибекова, где он благодарит своего друга Муслима за помощь: «...Я имею возможность спокойно заниматься своим делом, в результате чего я поступил в консерваторию; всем этим я обязан исключительно твоему искреннему желанию помочь мне; ради исполнения этого желания ты принес в жертву свой покой и здоровье, сумею ли я за это тебя отблагодарить?..» Это письмо написано в 1914 году из Петербурга, куда Узеир Гаджибеков уехал, чтобы продолжить образование в консерватории.

Дружить дед умел, мог сделать широкий сердечный жест.

Мало кто у нас знает, что идея написать оперу на сюжет «Кёр-оглы» пришла одновременно и Магомаеву, и Гаджибекову. Когда дед узнал об этом, он порвал начатую партитуру и сказал: «Узеир напишет лучше».

А еще был он человеком веселым: в отличие от друга Узеира позволял себе гульнуть на славу. Когда Зульфугар Гаджибеков (брат Узеира), тоже с грешком «весело пожить», заезжал за дедом на тогдашнем такси — фаэтоне, они с озабоченными физионо-

миями начинали объяснять бабушке, что едут по не-
отложным музыкальным делам в театр, в оперу. Но
как только фаэтон исчезал из поля зрения махавшей
вслед им Байдигюль, маршрут резко менялся. Курс
был в знакомый любимый ресторанчик, завсегда-
таями которого были бакинские актеры, музыканты,
ашуги, мугаматисты[3]. Дед неплохо зарабатывал, учи-
тельствуя в школе, и позволял себе не только кут-
нуть, но и заплатить за друзей, особенно если за сто-
ликом ресторана оказывались неимущие музыканты.
На высоком градусе застолья гуляки брали у хозяи-
на заведения револьверы и начинали палить по гор-
лышкам бутылок, как разгулявшиеся ковбои в старых американских салунах. Владелец ресторана не
возражал — Магомаев за все заплатит с лихвой. На
то он и Муслим-бек!»[4]

Несмотря на то, что маленький Муслим никогда не видел
своего знаменитого деда, некоторые вещи свидетельствова-
ли о его незримом присутствии в семье и даже имели непо-
средственное влияние на развитие самого Муслима-младшего. К примеру, скрипка Муслима-старшего, ставшая и предметом мучений, и предметом изучений.

— После деда остались кларнет и скрипка. Сначала меня хотели научить играть на скрипке. Вот тогда я и узнал, что такое она для ребенка, начинающего постигать азы музыки. Скрипка — не рояль:

Абдул-Муслим Магомаев

это там нажал на клавишу — вот тебе и звук. А чтобы извлечь живой звук из скрипки, нужно уметь делать что-то особенное. Просто пиликанье смычком по струнам хуже царапанья гвоздем по стеклу. Душераздирающие звуки стали несносными не только для меня... Вот от того моего детского любопытства и пострадала скрипка, из которой я пытался извлекать звуки: я решил посмотреть, что же находится внутри и почему скрипка не желает петь. Когда дома говорили об этом инструменте, когда-то подаренном деду после окончания им Горийской семинарии, то называли какого-то Амати, который был внутри скрипки. Я поднял верхнюю деку, но никакого Амати там не нашел — только надпись чернилами «Амати»... Скрипку деда у меня, конечно, отняли, склеили. Сейчас она находится в музее в Баку... В отличие от скрипки, судьба кларнета оказалась более счастливой — его от меня уберегли.

Глава 2

ЗМЕИНЫЙ МАЛЬЧИК,
или «Я ЗНАЮ, КУДА УХОДИТ ДЕТСТВО»

Муслим, ставший известным певцом, рассказывал не только о близких родственниках и теплых взаимоотношениях в семье, он не стесняясь признавался и в своих детских шалостях, пытаясь тем самым — через года — загладить вину перед любимыми людьми.

С особой нежностью Муслим Магомаев вспоминал о своей бабушке-татарке, носившей чудесное имя Весенний цветок.

— Свою бабушку Байдигюль (весенний цветок) я очень любил, но и не очень слушался, часто вольно или невольно, скорей всего по детской бесшабашности, обижал и старался избавиться от ее опеки. Она говорила мне что-то несомненно важное, а я был уже там, на улице, где меня ждали такие же, как я, сорванцы. Чем больше она меня любила, тем боль-

ше я ее обижал. Догадываюсь о степени ее терпеливости и доброты…

Прости меня, бабушка… Теперь-то я знаю, куда уходят и детство, и те, кого мы недолюбили, кого не баловали ни своим вниманием, ни ласковым словом, ни добрым делом. Полагали, что вроде бы они, наши близкие, достались нам просто так, раз и навсегда. Как море и небо…

И еще раз он скажет: прости меня, бабушка, — когда не приедет на похороны Байдигюль. Он объяснит свой поступок много позже словами:

— Надо было снова ехать в Москву — прощаться с дядей Джамалом и тетей Мурой. Попросил у них прощения за все мои срывы и выходки. За то, что не приехал на похороны бабушки (прости меня, родная). Не мог я объяснить им свое отношение к этим печальным обрядам. Так уж я устроен — живыми хочу запомнить близких мне людей. Понимаю, что это непростительная слабость.

…Небо и море, может и вечны, но не вечны те, кто живет с нами рядом. Как мы помним, дед певца умер далеко не старым человеком, заболев чахоткой. В семье поговаривали, что эту болезнь он получил, когда полез в Куру спасать упавшую в реку бабушку. Но что семейная пара делала в момент этого происшествия на Кавказе, не известно. Другой член рода — дядя Джамал — обещал, выйдя на пенсию,

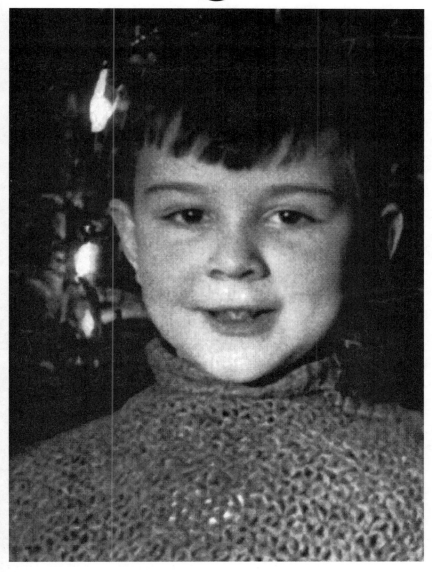

Беззаботное детство

написать мемуары, изложив всю историю творческой семьи, но не исполнил задуманное.

Особое любопытство мальчишки привлекали вещи, скрытые его бабушкой от глаз и шаловливых детских рук, хранящиеся в ее комнате под замком. Конечно же, это были сундук и шкаф, находящиеся под строгим надзором владелицы.

— В связи с вещами, оставшимися от деда, отчего-то вспомнился бабушкин сундук, огромный, кованый, о трех замках. Он вызывал у меня жгучее любопытство. Я спрашивал у бабушки Байдигюль: «Что в нем?» — «Ничего особенного». Я не верил ей — считал, что в сундуке хранилось что-то тайное. Иначе почему бы бабушке не открыть и не показать его содержимое мне. Но она не расставалась с ключами от сундука: даже когда ложилась спать, они были рядом.

И вот однажды, притворившись, что сплю, я дождался, когда бабушка вышла из спальни. Схватив ключи, открыл все три замка, положил ключи на место и снова нырнул в постель. Бабушка вернулась, я как бы проснулся, встал, пошел умываться. И вдруг услышал бабушкины крики: она обнаружила, что ключи побывали в моих руках, что замки открыты. У меня было такое впечатление, что бабушка проверяла свой сундук каждые пять минут. Поднять крышку и заглянуть внутрь, что я намеревался

сделать потом, мне не привелось. Тайна так и осталась тайной. Не знали о содержимом сундука ни дядя Джамал, ни тетя Мура.

Что находилось в сундуке, стало известно только после смерти бабушки. В самом деле, как она и говорила, — ничего особенного там не оказалось: только смокинг деда, его дирижерская палочка, ноты... То есть то, что было для нее самым дорогим после его ухода.

Этот притягательный старый сундук принял в наследство Муслим Магомаев, чтобы хранить в нем свои тайны: письма от множества поклонниц и поклонников, бесконечным потоком идущие со всех концов необъятной родины, носившей тогда почти магическое имя СССР.

Вторым таинственным предметом, захватившим воображение парнишки, был шкаф, стоявший в бабушкиной комнате и постоянно находившийся под замком. Случай представился при несколько печальных обстоятельствах — семидесятилетняя Байдигюль, стоя на табуретке, вешала занавески на окна, но упала и сломала руку. Несчастную отвезли в больницу, а во время ее пребывания там ее внук решил обследовать запретное пространство шкафа. Обнаружив ключи и открыв дверцы, он нашел хранящийся на полке личный дядин пистолет, положенный тому по должности. Радости мальчишки не было предела, и тут же было решено принести трофей в школу, чтобы пугать девчонок и возбуждать зависть одноклассников.

— Я стал пугать им из-под парты своих одноклассников, а пистолет был заряжен. Хорошо еще, что у меня хватило ума не спускать предохранитель и не нажимать на курок. Потом я, вдоволь насладившись произведенным впечатлением, решил спрятать пистолет в портфель, но он выскользнул из рук и с грохотом упал на пол.

Тут-то все и обнаружилось.

История получилась громкая. Дядю вызвали куда следует, где ему пришлось объяснять, почему все это случилось. А чем он был виноват? Ведь пистолет хранился у его матери под замком, никто его не видел, так как оружием дядя не пользовался. Кто же мог знать, что мальчишка найдет ключи, откроет шкаф, обнаружит пистолет да еще в школу притащит...

Сорванец да и только! И ведь это была не последняя проделка подрастающего Магомаева-младшего. В своих литературных трудах он вспоминал и случай... воровства; впрочем, этот проступок был нужен во благо. И только так!

Все произошло оттого, что юному дарованию наняли педагога, обучавшего игре на рояле. Сам Муслим об этом предмете трогательно признается:

— Рояль был большой, я маленький, но мы с ним ладили: лет с трех-четырех я уже подбирал мелодии.

Дуэт за роялем

Что же касается инцидента с украденным предметом, то им оказалась... бутылка водки.

— Мне взяли педагога. Помню, ее звали Валентина Купцова и от нее постоянно несло водкой. В ее сумке всегда лежала бутылка. «Муслимчик, — начинала говорить она почти стихами, — принеси мне клавирчик Баха». Я шел за Бахом, а она в это время прикладывалась. Могу сказать, что я ее не любил. Во-первых, потому, что от нее несло водкой (мне тогда это не нравилось); во-вторых, она все время торопилась домой. А я все ждал, что она мне все-таки толком покажет, как и куда пальцы ставить.

Однажды, когда тетенька Купцова отлучилась по надобности, я стащил бутылку из ее сумки и спрятал. Она вернулась и, как всегда, послала меня за очередным клавирчиком. Я принес ноты и... увидел у Купцовой другое лицо — его как будто вывернули наизнанку, «перелицевали». Сделав вид, что ничего такого не заметил, я сел за рояль и, стараясь не сутулиться, стал играть. Сначала из-за спины я услышал как бы шипенье, а потом на мои пальцы налетел карандаш и стал колотить по ним что есть силы: «Не воруй, не воруй, Муслимчик!..» Было больно и обидно. Я понял, что номер не удался, и отдал водку.

Возможно, именно потому, что *клавирчики Баха* ассоциировались у парнишки со спешкой и отвратительным за-

пахом спиртного, этот немецкий композитор вызывал у Магомаева неприязнь.

> *— ...я сразу невзлюбил... особенно Баха — эти его постоянные секундные интервалы, механику мелизмов, молоточковые каскады... Чуть ли не всем детям, начавшим музицировать, Бах дается тяжко. Это потом мы понимаем, что Бах есть Бах. Бах — Бог! Что именно так, как немецкий гений, и надо писать музыку в компании со Всевышним... Бах стал пыткой для меня. Я прятал ноты, делал вид, что потерял. От Баха мне еще больше хотелось во двор — участвовать в мальчишеских баталиях. Гулять!..*

После гибели отца малыш-Муслимчик остался жить под опекой бабушки. Конечно, мальчику было непонятно, отчего мать оставила его на попечение родственников, и он длинными вечерами размышлял над этим сложным вопросом. Для него долгие годы оставалось загадкой, отчего мать охотно исполнила просьбу бабушки оставить мальчика, указав как аргументы, что ребенку противопоказана кочевая жизнь (мать Муслима была артисткой), и что ему нужно будет учиться в музыкальной школе.

Бабушка Байдигюль оказала сильное влияние на воспитание и развитие Муслима-младшего, в котором она видела реальное продолжение своего супруга, Муслима-старшего, полного тезки любимого внука. Она же — как мудрая женщина — сделал все, что было в ее силах, чтобы оградить его

от неразумной женитьбы. Впрочем, поговорим об этом позже. Пока же стоит добавить такой интересный нюанс: татарка Байдигюль дала своему внуку татарское прозвище — за его непослушание и острый язык.

— *Самое во мне неприятное — это мои невольные шутки. Только потом я понимаю, что обидел человека. Догадываюсь, за что меня бабушка называла по-татарски «илан малы» — змеиный мальчик. Не знаю, как насчет всего мальчика, а вот язык у меня и правда такой. Не раз Тамара (вторая супруга певца — Тамара Синявская. — Авт.) говорила мне, что я могу невзначай обронить едкое слово. Подчас на меня обижаются за мою непосредственность. Но первым я никого не подковыриваю. Просто говорю прямо, когда можно сказать иначе или промолчать. Если не согласен с кем-то, могу сразу же начать возражать. Но это не конфликт — это спор.*

Муслим с друзьями Борей и Жорой

Глава 3

ОТЕЦ: ЖУИР, РОМАНТИК, ХУДОЖНИК, ФРОНТОВИК

У Байдигюль и ее супруга Муслима было два сына: Джамал и Магомет, младший из которых — Магомет — стал отцом знаменитого исполнителя, героя нашей книги. Увы, жизнь его была короткой, и он не успел в полной мере познать радость отцовства — его молодые года оборвала война...

Однако и этот член семьи был музыкально одаренным: при том, что Магомет никогда специально не учился музыке, он хорошо играл на рояле и красиво пел.

— Голос у отца был небольшой, но приятный, как говорили, задушевный. (Но мой голос не от него, а от матери.) Талантливый театральный художник, он оформлял спектакли в Баку, в Майкопе, где и встретил мою мать. Странно, но его работ у нас не осталось — ни живописи, ни рисунков, даже никаких набросков. Потом я узнал, что после завершения театральной постановки или выхода мультфильма (он

освоил и новую еще тогда специальность мультипликатора) отец уничтожал все наброски — наверное, считал, что раз все состоялось, то и не надо никаких эскизов, никаких архивов...

И хотя, как признался его талантливый сын, голос свой он получил не от отца, все же от него он наследовал другое умение: Муслим Магомаев прекрасно рисовал, в семье и у друзей сохранились его живописные картины и карандашные наброски, свидетельствующие о природном даровании.

Об отце героя известно немногое, да и то в основном, со слов самого Муслима, описавшего больше свои впечатления, чем знания об одном из родителей (ведь он остался без отца трехлетним малышом).

— От меня, чтобы не травмировать, долго скрывали, что отца уже нет в живых, говорили, что он находится в длительной командировке. Только лет в десять-одиннадцать, когда я уже стал многое понимать, мне сказали правду.

Наследие отца, как его характер и поведение, Муслим изучал по фотографиям да по рассказам родственников и знакомых. В книге «Живут во мне воспоминания» он пишет:

«Был отец человеком непростым, противоречивым. Даже на фотографиях он разный — от красавца до средней привлекательности человека. Настолько

он был изменчивым. Хотя друзья помнили его красивым. Был он очень легким на подъем (в этом я на него совсем не похож: для меня каждый раз собраться на гастроли — проблема). Умница, жизнелюб, любил и потанцевать, любил и подраться из-за женщины. Если где-то замечался шум, куча-мала, то там обязательно ищи Магомета... Увлекающийся, упрямый, драчливый, но в душе поэт. То легкомысленный, то яростно-непоколебимый и суровый в своих принципах... Не отсюда ли его преждевременная гибель?..

От деда отец унаследовал мужественность, которая уживалась с жуирством[5]. Ценил порыв. Отвечал за слово. Был честолюбив. Так и остался романтиком. Именно такой человек должен был бросить все и буквально ринуться на фронт.

Нашей семье благоволил тогдашний глава республики Мирджафар Багиров. И отец вполне мог бы рассчитывать на бронь.

— Куда он лезет? — говорил товарищ Багиров. — Пропадет! Он же у вас одержимый... Первая пуля будет его.

Отец не стал никого слушать. Сказал себе: надо! И ушел на фронт... Безоглядный, болезненный патриотизм!

О его гибели, а также о том, как я искал и нашел могилу отца, расскажу позже. Но прежде одно его письмо с фронта. Мне должны были прочитать его в день моего совершеннолетия.

Джамал-эддин и Магомет Магомаевы

«Сегодня день рождения моего сына. Что же ему пожелать? Конечно, многих, многих лет счастливой, радостной жизни, но пусть его жизнь будет заполнена полезным трудом для человечества, как была заполнена жизнь того, чье имя он носит. Пусть он научится пламенно любить все хорошее, но пусть и умеет всей душой ненавидеть тех, кто станет на дороге нашего счастья. Пусть он с ранних лет познает историю этой кровопролитной войны, которую затеяли варвары-немцы. Пусть он высоко чтит память тех, кто доблестно дрался за независимость вот таких крохотных, как он, детей, за счастье всего народа и отдал свою жизнь, без сожаления — за них. Пусть одно слово «фашизм» вызывает в нем ненависть, презрение. Ну, и пусть знает, что его отец любит его и будет любить до последнего вздоха, и если ему придется умирать, то умрет он сего именем на устах. Вот и все, что я хотел ему пожелать.

С приветом, ваш Магомет».

Если своим друзьям Магомет Магомаев запомнился внешней броскостью, то мне отец видится другим (хотя я его не помню — он погиб, когда мне было всего три года). Я вижу своего отца не картинным красавцем, а привлекательным внутренней красотой. Есть у людей такое обаяние — не напоказ, а в душе...»

Мальчик, не знавший деда и потерявший отца, не был брошен на произвол судьбы, не находился под опекой одних только женщин семьи Магомаевых. К счастью, этих близких мужчин в жизни подрастающего Муслима заменил родной брат погибшего на фронте, дядя Джамал-эддин Магомаев. Человек уравновешенный, инженер, склонный к точным наукам, он спокойно и упрямо делал карьеру — шел вверх по партийной лестнице. Для него важны были честность и справедливость, также не пустым звуком оставалось понятие *мужская честь*. Последнее достоинство, помноженное на родовую, кровную составляющую, делало личность дяди по-восточному колоритной: он никогда не мыл посуду, не выбивал ковры, не подносил тяжелые сумки и чужие чемоданы. Но он так же, как большинство людей Востока, искренне любил гостей и застолья.

Джамал-эддин Муслимович обожал ритуал гостеприимства, умел наслаждаться самим процессом подготовки угощений. И эту черту он перенял от своего отца, деда Муслима Магомаева — тот, по рассказам близких, свято соблюдал восточный обычай гостеприимства. Впрочем, мы помним (по рассказам артиста Магомаева), как весельчак и балагур Муслим-старший весело проводил время с гостями в любимом ресторанчике.

— Интересно, что два брата были совершенно не похожи характером друг на друга: по натуре дядя был спокойнее своих отца и брата.

Вместе с тем, будучи разными по натуре, братья на генетическом уровне переняли творческую жилку: оба хорошо рисовали, а еще переняли от отца тягу к волшебному миру музыку.

> — *Унаследовал он (дядя Джамал. — Авт.) от отца и музыкальность — играл на рояле, не получив при этом специального музыкального образования. Правда, очень любил нажимать на педаль, чтобы было громко, хотя меня учил другому: «Играй тихо и с чувством».*

Кроме этого замечательного кровного воспитателя, в жизни маленького Муслима присутствовала и няня — пожилая набожная старушка Груня. Во времена, когда походы в церковь не приветствовали, она спокойной водила ребенка в храм, прививая ему благоговение пред Всевышним.

> — *Говорят, люди впечатлительные помнят себя рано. Не знаю, сентиментален ли я настолько, чтобы об этом говорить, но помню себя рано... Вот одно из первых ощущений: улица, мягкая теплота руки няни — тети Груни. С няней хорошо, уютно. Мы вышли гулять. Воспользовавшись тем, что ее отпустили из дома, старушка ведет меня в церковь. До сих пор помню запах ладана, мерцание свечей, пышность православного храма. Потом я увижу ритуалы всевозможных конфессий. Но русская церковь оста-*

Отец Муслима – Магомет Магомаев
перед началом войны

вит навсегда ощущение сказочного терема, где (по тому моему наивному представлению) Боженька не строгий, а добрый.

И, как настоящая классическая няня, бабушка Груня рассказывала подопечному сказки, в которых добрые молодцы, сражающиеся за сердце красных девиц, побеждают злые силы. Научившись читать, Муслим обнаружил, что не ему одному так повезло: в жизни полюбившегося поэта Александра Сергеевича Пушкина, писавшего удивительные стихотворные сказки, была такая же душевная няня по имени Арина Родионовна. Благодаря этому совпадению, волшебным историям, рассказанным на ночь и прочитанным позже, у Муслима образовалась стойкая любовь к сказкам, ассоциирующимся со счастливым детством. В подростковом возрасте и юности пришло увлечение фантастикой, как продолжением жанра сказок. Даже став взрослым, он собирал коллекцию детских фильмов и мультфильмов студии Disney. Возможно, на подсознательном уровне было ощущение, что его отец, успевший влиться в ряды мультипликаторов, мог бы рисовать забавные истории не хуже диснеевских...

Только вот старший сержант Магомет Магомаев не успел дорисовать своих добрых героев, он погиб, сражаясь со Злом на фронтах Великой Отечественной войны. В письмах с фронта этот мужественный человек писал:

«...В своем очередном письме ничего особенного, нового сообщить не могу. О событиях, происходящих на фронтах, ты сам знаешь, ну а мы — непосредственные участники из-

биения самых отъявленных мерзавцев, каких по ошибке могла создать природа... Все та же окопная жизнь, все та же боевая обстановка. Но с каждым днем все больше чувствуется конец, о котором мечтает весь наш народ.

...Ну, и я кое о чем мечтаю. Ведь мечтать не запрещается никому из нас. Никто из нас не старается думать о худшем исходе. Да не вояка тот, кто думает о смерти. Пусть умирает тот, кто оказался в этой войне подлецом, слюнтяем. Не жалея жизни и сил, стараясь не очернить фамилию отца, стремясь быть достойным своего народа, своей семьи, я отдавал и отдаю все, что есть во мне. Тебя я только прошу об одном: сделайте все, что возможно, лишь бы мой сын хоть немного был счастливым, а там, быть может, судьбой прописано действительно с вами вместе торжествовать победу...»

Так случилось, что став популярным, Муслим Магомаев смог отыскать могилу отца, погибшего в 1945 году. К тому времени он уже не раз бывал в польском Сопоте, где проходили песенные фестивали, и во время своих поездок пытался обнаружить захоронение, в котором вечным сном упокоился его геройский отец.

— Мне нужно было возвращаться на родину. Друзья из Общества пообещали, что начнут поиск в архивах, посмотрят списки солдат, похороненных в Польше, тем более что фамилия наша не очень распространенная. Обещали свою помощь и работники

нашего посольства. А потом пришло письмо, в котором друзья из Общества польско-советской дружбы сообщили, что нашли братскую могилу, где похоронен мой отец. Она оказалась немного севернее Костшина, в городе Хойна Щецинского воеводства. Выяснилось, что после войны, когда наши основные войска покидали Германию, останки солдат из одиночных захоронений, разбросанных в разных местах, предали земле в общей братской могиле уже на польской территории.

И вот через двадцать семь лет после гибели отца я смог навестить его. В разгаре была весна 1972 года. Мне скоро тридцать лет, я стал старше отца, погибшего в двадцать девять. Как сейчас помню ту субботу 22 апреля. Западное Поморье, кладбище в предместье городка Хойна, братская могила…

Не буду рассказывать о тех своих чувствах — тут не нужны слова, они лишние в минуту молчания. Но и у скорби бывают светлые тона. Я ощутил их тогда, у подножия хойнского памятника павшим. Переживаю это и сейчас, вспоминая обо всем: все-таки я и мои близкие теперь знаем, где закончил свой земной путь Магомет Магомаев. Художник и воин.

Я положил на могилу цветы и увез домой горсть той перепаханной бедой польской земли. Позже дядя Джамал отвез ее в Баку и смешал с землей на могиле своего отца.

«И вот через двадцать семь лет после гибели отца я смог навестить его. Мне скоро тридцать лет, я стал старше отца, погибшего в двадцать девять...»

Благодаря энтузиазму патриотически настроенной молодежи и архивным поискам удалось не только найти место захоронения, но и узнать подробности того трагического дня, когда отец нашего маэстро погиб в бою. О подробностях тех военных дней тогда написала одна из польских газет (полный текст приводится в книгах М. Магомаева):

«Старший сержант Магомет Муслимович Магомаев погиб в маленьком городке Кюстрин недалеко от Берлина за девять дней до окончания войны. Из воспоминаний о нем его фронтовых товарищей складывается образ достойного солдата. Во время штурма обороны гитлеровских войск друг Магомаева бросился с гранатой на пулеметный дот. Старший сержант поспешил на помощь, хотел вытащить из-под обстрела раненого товарища по оружию. Погибли оба от пуль. Полковые друзья решили похоронить павших бойцов на польской земле. Тела были перевезены за восемьдесят пять километров и похоронены на другом берегу Одера в маленькой деревне около железнодорожной станции. На плане могилы, который был передан семье Магомаевых командиром полка, отсутствовали некоторые данные — название местности. Поэтому поиски могилы отца Муслима Магомаева были трудными...

Не принесли результатов поиски, предпринятые первоначально в Зеленогурском и Вроцлавском воеводствах. Поисками могилы занялось также воеводское отделение Общества польско-советской дружбы в Щецине совместно с представителями коммунального хозяйства воеводства.

Только через некоторое время было установлено, что могилы советских воинов из полка, где служил старший сержант Магомаев, находятся в местности Кшивин Грыфиньски. Но в 1952 году была проведена эксгумация и останки погибших были перезахоронены в братских могилах на кладбище в Хойне. На этом кладбище — одном из самых больших кладбищ Западного Поморья — покоятся 3985 советских солдат. Удалось установить фамилии около шестисот».

Тогда пребывавшего в польском Щецине певца спросили, не захочет ли он, когда поиски завершены, перевезти прах отца на родную землю? На что Муслим Магомаев ответил твердое «нет».

— По-моему, он лежит не в чужой земле. Разве мог кто-нибудь тогда предположить, что в наши дни отношение к братским могилам советских воинов в Польше будет совсем другим. В каком состоянии теперь могила, где лежит мой отец, я не знаю. И спросить не у кого — Общества дружбы теперь нет, да и Польша стала членом НАТО.

Глава 4

ДЯДЯ ДЖАМАЛ, ТЕТЯ МУРА, ЛЕВ И КОШКИ

Увы, реального отца в жизни маленького Муслима не было. Но был заменивший отца дядя Джамал. А еще присутствовала жена дяди Джамала — Мария Ивановна, по национальности полька. О которой сам артист говорил:

«Незабвенная моя тетушка Мария Ивановна. Бескомпромиссная тетя Мура, женщина несгибаемой воли и дипломатической проницательности. Она очень хорошо знала, что надо в жизни делать, а что не надо. Светоч нашей семейной культуры, прочитавшая столько книг! Дай Бог, если сотую часть того, что прочитала тетя, мне удастся прочитать за всю свою жизнь».

Мария, непонятной судьбой занесенная в Баку, работала кассиром в театре, когда познакомилась с симпатичным инженером. Азербайджанец Джамал и его возлюбленная с польскими корнями создали гармоничную семью. Стоит сказать,

С любимой тетей Мурой

что Мария уже ранее была замужем, у нее подрастал сын по имени Лев, которого новый супруг усыновил. Так белобрысый славянин Лев Джамалович стал объектом безобидных насмешек в новой семье.

Сама Мария, которую домочадцы звали умилительно Мура, по словам Муслима, «производила впечатление этакой гранд-дамы».

— Если она не читала свои любимые книги, то слушала радио — у нас тогда был мощный приемник «Мир», большая редкость в те времена. Приемник ловил западную музыку, чужую речь, то, что тогда у нас заглушали, что нельзя было слушать. Почему нельзя? Если нельзя, значит нужно и можно слушать. Это был ее принцип. Со временем я понял, что это и мой принцип.

Обычно тетя Мура никуда не выходила. Но если с утра она начинала перебирать платья, поглядывать в зеркало, это означало, что Мария Ивановна готовится к выходу «в свет»: в театр или в гости к кому-нибудь из подруг. Правда, чаще ее подруги приходили к нам, и тогда они допоздна засиживались за преферансом «по маленькой». Прочитав столько книг, тетя Мура знала очень много, могла говорить на любую тему. С годами она вдруг резко стала терять зрение, носила очки с толстенными стеклами, но продолжала читать, все ближе и ближе поднося книгу к глазам.

Возможно, отчасти именно из-за такого примера страстного чтения сам Муслим пристрастился к книгам, читал сказки, затем фантастику, а, став взрослым — серьезную литературу и мировых классиков. Однако при чтении имел он одну особенность, в которой признался как-то на форуме сайта почитателей его таланта уже в 2005 году. Мэтр, работавший над одной из своих песен, вдруг восторженно написал:

— Доброе утро, друзья☺ Я такого УТРА, здесь за городом, в марте не помню. «Мороз и Солнце — День чудесный». Всегда в книгах пропускал «описания природы», думая; САМИ ВИДИМ, САМИ ЗНАЕМ»... А тут первый раз в жизни понял Авторов!!![6]

...Вместе с ухудшением зрения, в доброй душе тети Муры возрастало сострадание к животным. В доме Магомаевых жил кот Рыжик, проказничавший наравне с подростками Львом и Муслимом, но одним этим подопечным дело не обошлось. Мура всегда любила кошек, а с приходом старости стала еще больше благоволить им, подкармливая полчища бездомных четверолапых, в достатке водившихся на прилегающих к дому бакинских улицах. Конечно, подобная жалость вызывала неодобрение соседей, но никто из них не разругался с Мусей в пух и прах.

Вспоминая свою добрейшую тетю, в семье которой Муслиму пришлось прожить какое-то время, он подмечал важные особенности того периода, известного нам как *советский период* в истории страны:

— Школа, как и город Баку, была интернациональна: мы тогда вообще понятия не имели, что такое национальные различия. И никого не смущало, что в Баку, столице Азербайджана, азербайджанский язык не был обязательным. Хочешь — учи, не хочешь — не учи. В нашей семье говорили по-русски. Не оттого ли я плоховато знаю родной язык? Бабушка Байдигюль была татарка, жена дяди Джамала Мария Ивановна — полька. Дядя неплохо говорил по-азербайджански, но спотыкался на литературном азербайджанском.

Еще долгие десятилетия Муслим Магомаев, ставший звездой советской эстрады, будет поддерживать теплые отношения с семьей дяди, воспринимаемой им как самой родной и близкой. О преклонных годах и последних днях жизни родственников он напишет трогательные строки.

— В детстве мы никогда не задумываемся об этом. Позже, повзрослев, тешим себя обманом, что это случится нескоро. Но когда приходит время, это застает нас врасплох…

Я и не заметил, как постарели они, мои старики. Мария Ивановна сильно сдала. Ела очень мало: насильно заставляла себя что-то проглотить. Прежде, для аппетита, хотя бы рюмочку водки могла выпить… А теперь слабела на глазах. Восполняла свою физическую немощь неизбывной духовной энерги-

Муслим Магомаев в музыкальной школе
при Бакинской консерватории

ей: лишь душа поддерживала ее. И так было всегда, в самые трудные времена. Она по-прежнему много читала. Продолжала говорить на хорошем, старом русском языке. И по-прежнему производила впечатление светской дамы. До самой старости сохраняла легкость стати. Сколько ей было лет — никто не мог сказать. Да и говорить об этом, даже дядюшке Джамалу, никогда не приходило в голову.

В последние годы жизни Джамал-эддин перенес два инфаркта. Тетя Мура, переживавшая за супруга, попала в больницу 4-го, Кремлевского управления, где у нее тоже произошел инфаркт. Еще через год Марии Ивановны не стало, и это окончательно подкосило здоровье Джамала.

— Дядя как-то сразу сломался, пал духом... Сидел за столом отрешенный, сутулился. ...Смотреть на него не было сил. Это часто бывает — муж после смерти жены, с которой прожита вся жизнь, теряет опору. Вот и дядя Джамал буквально потерялся. Он часами сидел, уставившись в одну точку. Иногда говорил что-то вслух — из глубины своих дум, одному ему известное. Он словно ушел в самого себя, потерял связь с внешним миром. Что-то пытались делать врачи и мы, близкие, старались отвлечь его от горя, вернуть его сюда. Но, похоже, душа тетушки крепко держала его...

Всю жизнь дядя Джамал казался мне домашним Иваном Грозным, суровым к себе и к другим. И вот теперь он бывал беспомощным. Я приводил его к себе домой, наливал чайку или рюмочку коньяка и говорил с ним неспешно. В такие трудные для него дни он нет-нет и заговаривал о том, почему он меня не мог усыновить: «Ты, Муслим, сын своего отца. А он был герой. Не забывай об этом...»

Но я-то всегда знал, что ближе, чем я, у него на свете никого не было и не будет. А любить он умел — нутром, сердцем, немногословно, скупо.

Такое у него было сердце — все там умещалось, и сила, и слабость. И строгость его была как бы прикрытием его доброты. Он словно стыдился быть сентиментальным. Из породы государственных мужей, он полагал, что нельзя быть добрым открыто. После смерти Марии Ивановны строгая маска дяди Джамала исчезла и открылась его доброта... До жалости.

Или вот еще трогательное признание от первого лица:

— Меня воспитывали в строгости. Мой дядя Джамал, как дядя Онегина, был «самых честных правил». Он много работал, приходил домой уставший, со мной заговаривал только тогда, когда я делал что-нибудь не так. Честно признаться, поводов я давал немало. Бывало, что-нибудь натворю и со страхом жду вечера, спрятавшись в бабушкиной комна-

те. Сижу тихо и прислушиваюсь, когда бабушка или тетя Мура начнут жаловаться на меня. Я понимал, что дядина строгость была оправданной, однако мне хотелось и ласки, а главное, участия. Но дяде, вечно занятому человеку, по натуре сдержанному и неразговорчивому, было не до меня. Мне казалось, что он меня не любит. Только к концу его жизни я, став взрослым, понял, что все было как раз наоборот, что он относился ко мне как к сыну. Отсюда его строгость, нравоучения...

Джамал-эддин Магомаев

Глава 5

СЧАСТЛИВОЕ ВРЕМЯ НА ПРАВИТЕЛЬСТВЕННОЙ ДАЧЕ, или ПЕРЕД ДЕТСТВОМ ВСЕ РАВНЫ

Нет причин сомневаться, когда Муслим Магомаев говорит о своем родственнике: честный, добрый, справедливый, добросовестный, порядочный в работе, в жизни, в отношениях... И это при том, что дядя Джамал достиг высокого уровня — он занимал должность заместителя председателя Совета Министров Азербайджана.

А в годы его партийного взлета ему полагалась правительственная дача. Вскоре это место стало любимым местом отдыха семьи и особенно мальчишек — Льва и Муслима.

— Сейчас в этом районе со странным для русского языка названием Загульба находится президентская дача. Хотя все мы, мальчишки и девчонки, дети высших руководителей республики, понимали, кто наши родители, но в своем поведении мы ничем не отличались от детей из обычных семей. У нас не было

никаких претензий на исключительность, не было *разговоров о том, что чей-то отец самый главный, самый важный. Нет, мы играли, бегали, купались в море, озорничали, как все дети во все времена.*

Одним из любимых занятий «элитной» молодежи было лазание по абрикосовым и персиковым деревьям, — не за фруктами, а от полноты мальчишеской души, жажды приключений и бахвальства. По этим же причинам мальчишки участвовали и в других пакостях, казавшимися им вполне невинными.

— На правительственной даче было свое подсобное хозяйство, ее обитателей снабжали свежим молоком, свежими овощами. Был и сад, где росло много фруктовых деревьев, винограда. И вот мы, дети, почему-то считали чуть ли не своим долгом забираться в огороды, в сад. Однажды мы даже забрались на продовольственный склад, выставив в окне стекло. Забрались с единственной целью — утащить из холодильника сосиски, которыми собирались кормить кошек и собак. Те же сосиски можно было взять и дома, но как объяснить родным, почему ты тащишь что-то со стола — ведь не голодный же! Да и просто принести еду для собак из дома было неинтересно. А тут такое приключение! Такой риск!

Конечно, у партийной молодежи были самые великолепные возможности не только для игр и отдыха, но и для рас-

ширения кругозора. К примеру, мальчишки могли вдоволь смотреть фильмы, не доступные другим сверстникам. А кино, как известно, было одним из немногих доступных развлечений советских людей.

— Там, на правительственной даче, мы каждый день могли смотреть лучшие фильмы — и трофейные, и старые, и новые, которые еще не вышли на экран. Именно там я увидел и «Любимые арии», и «Паяцев», и «Тарзана», а потом и фильмы с Лолитой Торрес... Так что мое детство проходило не только весело, но и содержательно. Там же я научился играть на бильярде...

Вместе с тем родные Муслима, имевшие больше финансов и возможностей, чем большинство окружающих, старались воспитать детей не жадными, не кичливыми, в меру бережливыми. Во-первых, потому что *деньги тогда действительно были не главное,* а во-вторых, потому что взрослые были не приучены потакать капризам детей, и старались вырастить их в соответствии с идеологическими идеалами — *достойными строителями коммунизма.* Хотя, конечно, хапуг и мерзавцев хватало везде, в разных социальных группах, на разных должностях, ведь идеального общества в принципе не бывает. Однако дядя Джамал — скорее правило, чем исключение (да-да, никакой идеализации времени и людей того времени автор умышленно не создает: добрых и честных людей тогда действительно было больше).

С подружкой Алёнушкой

Свидетельствует сам Муслим Магомаев, давая яркую характеристику не только своему детству, но времени, уникальной эпохе, которая уже не возродится:

— Во времена нашего детства деньги не возводились в культ. Это сейчас у нас и по телевидению, и по радио, и в прессе постоянные разговоры о деньгах. И ты с ужасом понимаешь, что это становится нормой жизни. В нашем тогдашнем, пусть и далеком от совершенства, обществе говорить с утра до вечера о презренном металле считалось дурным тоном. Точно так же мы считали неприличным прилюдно ткнуть, скажем, в плохо одетого мальчишку и брезгливо фыркнуть: «Фу, оборванец»... И дело было не в том, что все мы были тогда беднее, а значит, как бы равны, и тот, кто бедным не был, старался скрыть этот свой «недостаток», — нет, просто все мы были тогда приучены к другому. В том, что говорилось и делалось нами, было больше души.

Я рос не в бедной семье, но меня воспитывали так, что я понимал разницу между «хочу» и «необходимо». Мне хотелось иметь магнитофон, но он появился у меня только в шестнадцать лет, когда я стал более или менее прилично петь. Магнитофон для певца не забава, а рабочий аппарат, чтобы слышать себя со стороны. Хотя магнитофона у меня еще не было, но свой голос я мог записывать у моего друга, скрипача Юры Стембольского. У него был какой-то

странный магнитофон, обе катушки которого были расположены одна над другой и вертелись в разные стороны. Мы сделали тогда много записей. Помню, как я пел «Сомнение» Глинки, а Юра аккомпанировал мне на скрипке. Я бы много отдал, чтобы послушать те наши записи, послушать, как я пел в четырнадцать-пятнадцать лет, но, увы... Давно нет таких магнитофонов, да и за прошедшие десятилетия те пленки давно иссохлись, рассыпаются...

Мне никогда не давали лишних денег, о карманных деньгах я читал только в книжках. Если у меня оставалось что-то от школьного завтрака, я спрашивал разрешения истратить эти копейки на мороженое. Одевали меня так, чтобы было не модно, а чисто, прилично и скромно. Если был костюм, то только один — выходной. Про школьную форму нечего говорить — она была у всех. Были у всех и красные галстуки, и единственное различие, да и то не слишком приметное, заключалось в том, что у кого-то красный галстук был шелковый, а у кого-то штапельный. Но у всех мятый и в чернилах.

Не виделись различия и в дворовой компании мальчишек: перед детством все были равны.

— Детство — самая нелукавая пора жизни: всё там в открытую и честно. Мы и ссорились честно. Больше всех я ссорился, а значит, и мирился чаще

с Поладом Бюль-Бюль оглы. Верховодили мы вместе — делили дворовую власть. Как представители «верховной власти» двора, вроде Тома Сойера и Гека Финна, то и дело соперничали: кто ловчее «тарзанит», перепрыгивая с дерева на дерево, кто подушераздирающе крикнет Тарзаном. Последнее Полад делал лучше всех.

Эти игры — своеобразная дань поразившему их воображение фильму «Тарзан» с Джонни Вайсмюллером в главной роли, когда мальчишки с упоением подражали непревзойденному экранному герою, исполнявшему потрясающие трюки на экране.

Не меньшей любовью в те годы пользовался у мальчишек и образ мушкетера, также пришедший из фильмов. И мушкетеры, и человек-обезьяна стали примерами для дворовых игр, возникали на детских рисунках Муслима.

Между тем, не мешало бы сказать пару слов об упомянутом Паладе, с которым наш герой делил радости беззаботной жизни под бакинским солнцем. Возможно, старшее поколение азербайджанцев помнит голос удивительного соловья — Бюль-Бюля (с азербайджанского переводится как «соловей»). Для него специально писались песни и арии — певец обладал уникальными вокальными возможностями, считалось, что его верхние ноты были почти беспредельными. Его сын, друг детства Муслима Магомаева, на уровне генетики перенял необыкновенное умение петь так, как никто другой.

Кадр из фильма «Тарзан» с Джонни Вайсмюллером

— У нас с Поладом различны не только характеры, различными стали и наши судьбы. Мне прочили быть композитором, дирижером, пианистом, как мой дед, а я стал певцом. Полад хотел быть певцом, как его отец, а стал композитором. Я был свидетелем первых шагов Полада на этом его поприще.

И не просто свидетелем, а причастны к успехам друга детства — Муслим привез Полада в Москву, познакомил с сотрудниками радио и телевидения.

— С тех пор все и узнали Полада Бюль-Бюль оглы. Потом по его просьбе я записал и спел несколько его песен на радио, в «Голубых огоньках» на телевидении. Но после меня он обязательно считал нужным «перепеть» песню лично. И я решил на этом остановиться. Со временем Полад стал министром культуры Азербайджана.

Глава 6

МУЗЫКАЛЬНАЯ ШКОЛА. «КРИТЕРИЙ ПОСТУПЛЕНИЯ — ПРИРОДНЫЙ ТАЛАНТ»

В 1949 году родственники приводят Муслима в музыкальную школу-десятилетку при Бакинской консерватории. Сюда, по свидетельствам многих, принимали не по блату, а по степени одаренности, и даже высокое положение родителей не могло повлиять на отказ педагогов. *«Критерий при поступлении был один — природный талант»*, — подтверждал и Магомаев. Не удивительно, что большинство выпускников этой школы стали видными музыкантами, исполнителями, композиторами и дирижерами.

И если в обычной школе мальчишке было скучно («Учился я без усердия. Сидеть за партой для меня было все равно что сидеть на шиле».), то с музыкальной школой все обстояло по другому.

— С музыкой было совсем иначе: мне это нравилось. Нравилось, когда говорили о моих первых со-

чинительских опытах, когда хвалили мою музыкальность. А вот математику, все эти формулы, скобки, да и вообще что-нибудь считать, терпеть не мог. Дело дошло до того, что пришлось для меня приглашать репетиторов по общеобразовательным предметам. Помню одного из них, математика. Хороший был парень, очкарик-умница. Он мне про алгебру, а у меня в голове свое — музыка или гулянье. Ему надоела эта игра в одни ворота:*

— Математика из тебя никогда не выйдет. Не потому, что ты тупой, просто ты никогда этим не будешь заниматься. Точные науки не хотят влетать в твою голову. Хотя если ты захочешь, то сможешь. Но ты совсем не хочешь... Поэтому давай о музыке.

И мы часами разговаривали об этом. Тетя Мура, видя, как мы долго сидим вместе, нахваливала меня, говорила дяде: «Вот усердие!..»

Как дети из любой другой школы, ученики из класса Муслима провели свое разделение учителей на категории любимых и не любимых, строгих и не очень. Видимо, в жизни Муслиму чаще попались хорошие учителя, коль он не забыл ни их имен, ни их отношения к своему предмету и ученикам, и с особой беспристрастной признательностью описал их в своих мемуарах. Были моменты в жизни ставшего мега-популярным Магомаева, когда он приглашал стареньких учителей либо на концерт, либо на ужин в ресторане после концерта. Ему доставляло удовольствие не только порадовать педаго-

Вышний Волочек.
Класс Валентины Михайловны Шульгиной

гов своими успехами, но и выказать тем самым свое уважение к их знаниям, педагогическому таланту и труду.

И все же большим удовольствием для Муслима Магометовича было вспоминать тех, кто преподавал музыкальную грамоту. Одним из тех, кому предназначались слова благодарности, был Арон Израилевич.

— Он вел у нас музыкальную грамоту. До конца жизни не забуду, как он сразу научил нас, еще ничего не знающих в музграмоте, кварто-квинтовому кругу. Он сказал нам: «Я не буду говорить вам: "Здравствуйте, ребята! Садитесь". А вы не должны отвечать мне: "Здравствуйте, Арон Израилевич!" Я буду говорить вам: "Си ми ля ре соль до фа", а вы будете отвечать мне: "Фа до соль ре ля ми си "». И мы уже навсегда запомнили, какие диезы, какие бемоли должны быть на нотном стане.

Любовь к музыке была столь страстной, что свою первую мелодию мальчик сочинил в возрасте пяти лет, когда близкие еще ласково называли его Муслимчик. Мальчик, в котором от рождения дремали ноты, запомнил придуманную музыку на всю жизнь и, став взрослым, вместе с поэтом Анатолием Гороховым сделал из нее песню «Соловьиный час». Под музыку детства взрослый исполнитель пел в полных залах:

Смотрят звезды в тысячу глаз —
Я к реке выхожу опять.

Хорошо в соловьиный час
Счастье повстречать.
Хорошо в соловьиный час
Счастье повстречать.

Когда мелодия стала песней «Соловьиный час», она вышла на пластинках и появилась в домашней фонотеке многих граждан СССР. Сама песня многим казалось коротенькой — всего три куплета. Похоже, что такое же мнение разделял и сам артист. Уже в 2005 году Магомаев вновь вернулся к воспоминаниям давних лет, и в частности, к песне, рождённой из детской мелодии.

«...Слушая запись, которая на пластинке, всегда было жаль, что прекрасная песня такая короткая. И вот теперь всё встало на свои места, словно пришло время неторопливого раздумья. Песня обрела прекрасное инструментальное вступление — импровизацию. В маленькой симфонии, сплетаясь с романтикой юности, зазвучала немного усталая. «Соловьиный час» из 2005 года — задумчивость взрослого композитора, остающегося юным в душе, умеющего видеть мир глазами детства»[7]. Так делилась впечатлениями от новой оранжировки старой песни давняя поклонница творчества азербайджанского исполнителя.

— В 5-летнем возрасте меня уже тянуло на «грустную музыку», и так до сих пор — Терпеть не могу всякие «Королевы красоты» и «Свадьбы», но очень люблю — «Благодарю тебя», «Мелодию» и т.д.

А еще Муслим Магометович уверял, что с ранних лет

«самому подбирать красивые созвучия мне было интересно — это лучше, чем играть чужую музыку».

Между прочим, с Анатолием Гороховым, написавшим стихи к песне «Соловьиный час», Магомаев создал и другие шедевры, среди которых «Шахерезада», «Далекая — близкая», «Рапсодия любви» и др.

Вспоминал как-то сам поэт-песенник А. Горохов[8]:

— У Муслима тогда было туго с деньгами. Мне капали авторские, и я с ним охотно делился заработанным. И надо сказать, Муслим оказался очень благодарным человеком.

Кстати, жизненная стезя Муслима могла бы пойти совсем по другому, не творческому пути, если б озорной мальчишка не прекратил свои шалости. О чем речь, думаете вы? Оказывается, однажды во время игры в человека-обезьяну, прыгая с дворовыми *тарзанами* по деревьям, наш герой упал и сломал руку.

Вот как описывал это едва не ставшим роковым событие сам Муслим Магометович:

— Но, подражая Тарзану, его замечательной обезьяне Чите, мы не могли похвастаться настоящей обезьяньей ловкостью. Не хватало ее и мне — мои тарзаньи забавы кончились тем, что я, упав с дерева,

Анатолий Горохов

сломал левую руку. Ее надолго упрятали в гипс, приказав, чтобы я вел себя тихо...

Легко сказать «тихо»... Когда гипс сняли, оказалось, что рука срослась неправильно. Лучше бы мне сказали, чтобы я носился сломя голову. Я тогда бы сделал прямо противоположное... Руку пришлось ломать. Но мне об этом не сказали — обманули, скрыли. Ломали под наркозом. Мне снилось, что я перекатываюсь в какой-то бочке с гвоздями, да еще без обоих днищ...

После больницы у меня не было чувства радости (как могло бы быть у всех нормальных мальчишек), что из-за сломанной руки появилась возможность бездельничать несколько недель. Может быть, я тоже бы этому радовался, но сломанная рука освобождала меня и от любимых мною занятий музыкой. Я уже тогда знал, что хочу быть и буду настоящим музыкантом. Как дед. Меня вовремя предупредили, даже напугали, что если я буду продолжать бегать и прыгать, как раньше, в следующий раз руку уже не исправить.

Так и буду жить с кривой рукой. Криворуким пианистом мне быть не хотелось. Я настолько испугался, что и вправду стал вести себя тихо. Насколько мог...

Мало кто из взрослых может сказать, что его от детских шалостей вылечила... любовь к музыке. Это каким надо об-

ладать талантом, чтобы почувствовать свою ответственность за дар, данный свыше!

— Вспоминая нашу музыкальную школу, это я только теперь называю ее элитарной. Тогда мы такого слова не знали — школа и школа. Дети состоятельных родителей дружили с бедными, и не было между нами разницы. Завидовали мы не лакированным туфлям или накрахмаленной манишке, а тому, кто был даровитее: «Он так играет на скрипке!» или «У него такая техника!» Вот что ценилось.

Глава 7

КАК АЙШЕТ КИНЖАЛОВА ВЫКРАЛА СЫНА МУСЛИМА

Учеба в музыкальной школе явилась одним из главных аргументов, когда решался вопрос: с кем же останется Муслимчик — с родственниками или с матерью, желавшей продолжать карьеру на театральном поприще.

Итак, показав почти всех взрослых, окружавших подрастающего Муслима, мы пока что избегали разговоров о его матери. И сейчас настал самый подходящий момент, чтобы познакомится с этой женщиной, оставившей в сердце певца любовь, нежность, обожание и обиду.

— Моя мама, Айшет Ахмедовна (по сцене Кинжалова), была драматической актрисой с многоплановым актерским амплуа. У нее был хороший голос, она аккомпанировала себе на аккордеоне, что обожали на провинциальной сцене. Играла она по большей части роли характерные, а ее музыкальность была как бы дополнением к драматическим способ-

Айшет Ахмедова

ностям. На сцене мама была очень эффектна — у нее были превосходные внешние данные, подвел только нос: мама была курносая. Помню, как в детстве я тоже боялся, что буду с таким же носом, как у матери, и даже на ночь завязывал себе нос платком, чтобы прижать его.

Броская внешность матери, ее одаренность, видимо, в большой степени оттого, что в ней намешано много кровей: ее отец был турок, мать — наполовину адыгейка, наполовину русская... Сама она из Майкопа, а театральное образование получила в Нальчике. Много лет спустя я встретил там одного старого актера, который сказал мне, что учился вместе с моей матерью. Когда я рассказал ей об этой встрече, она вспомнила его.

Мои родители встретились в Майкопе, где мать играла в драматическом театре, а отец оформлял спектакль. Они уехали в Баку, поженились. Когда отец ушел на фронт, мать жила в нашей семье, а после его гибели вернулась к себе в Майкоп. Человека по-своему неординарного, ее томила «охота к перемене мест» — ей почему-то не работалось в одном и том же театре. При этом ее никто не увольнял, никто не выгонял из труппы. Но ей хотелось чего-то нового, и потому мать часто ездила в Москву на артистическую биржу, где в межсезонье собирались актеры чуть ли не со всей страны в поисках работы в разных театрах.

Ведя рассказ о Магомаевых, мы еще не упомянули о женщине по имени Мария, которая большую часть жизни прожила в кругу этой семьи. Можно назвать ее экономкой, домработницей, приживалкой... в любом случае она появилась в семье Магомаевых будучи еще юной девушкой и, разделив хлопоты по хозяйству, осталась в знакомом кругу до самой смерти Джамал-эддина. Вероятнее всего девушка была дана в помощь семье (принята на работу), когда Джамал занял высокую партийную должность. Не секрет сейчас, что у многих коммунистических боссов была прислуга, помогавшая по хозяйству (а иногда и приставленная *органами* с определенной целью). Как вспоминал Муслим, «Появилась она у нас еще девушкой, была молоканкой[9] из селения Ивановка, что под Баку».

Именно эта молоканка Мария, Мария Григорьевна, «член семьи, родной человек», и поспособствовала воссоединению сына с блудной матерью. Ситуация была весьма пикантной и похожей на сыгранный как по нотам спектакль.

Когда Айшет Ахмедовна по своему обыкновению в очередной раз внезапно приехала с очередных гастролей в Баку, и стала умолять бабушку отдать ей сына, именно неприметная Мария сыграла роль вершительницы судеб, «случайно» упустив мальчика.

Понятно, что когда мать просила отдать ей сына, которого она оставила лишь на время, Байдигюль отнекивалась, аргументируя тем, что и дядя Джамал, заменивший Муслиму отца, привык к ребенку, и что тот обязательно должен закон-

чить музыкальную школу, и что жить в разъездах маленькому мальчику не на пользу... Понятно, что актерская профессия матери лишь усугубляла дело с разрешением ситуации.

Похоже, что и в тот раз Айшет согласилась с железными доводами, дав согласие оставить сына еще ненамного. Однако развитие событий показало, что материнский инстинкт возобладал.

В день, когда актриса решила уехать, Мария Григорьевна предложила проводить ее до вокзала, взяв с собой мальчика, мол ребенок помашет матери рукой, когда та сядет в поезд. Никто не возражал, ведь подобные приезды и отъезды случались уже не раз. А на вокзале Мария перед самым отходом поезда неожиданно решила пойти за мороженым в ларек. Муслим уже стоял с мамой в вагоне, как поезд тронулся. Мальчишка не испугался, ему стало интересно, что будет дальше. Поезд резво набирал ход, когда и мать, и сын увидели бегущую по перрону Марию Григорьевну. И, понятное дело, уже было поздно что-то менять. Так, по воле судьбы, наш герой оказался в чужом для себя городе Майкопе, где пробыл пару дней. В этом городке Айшет некогда встретила своего супруга, подарившего ей одаренного талантами сына Муслима...

Об этом месте мальчик, уже став взрослым, вспоминал:

— Приехали мы ночью, очень долго ждали мамину подругу, которая должна была нас встретить, и очень продрогли. Наконец она появилась. Помню, как эта подруга-артистка потом поила меня обжи-

Майкоп. Адыгейский областной драматический
театр имени А.С. Пушкина

гающим чаем и как я, оттаивая, погружался в слад-
кий сон среди пуховых подушек. Матери хотелось
показать меня своим театральным друзьям, а мне
показать, где они познакомились с отцом. Я вдоволь
набегался по театру, по всем его закоулкам...

Из Майкопа беглецы поехали в Вышний Волочек, где мать
играла в местном театре. Самым неожиданным для мальчика во время путешествия явилось то, что вместо гор он вдруг
видел сплошную степную равнину.

> *— Из бакинской жары мы въехали в промозглую*
> *осень, а затем в суровую русскую зиму. Я проснулся*
> *утром, и глазам стало больно от неожиданной белиз-*
> *ны: всюду был снег.*

Так мальчик, не знавший холода, впервые почувствовал
мороз, увидел снег и... новых друзей.
Долгое путешествие, жизнь в Волочке привили Муслиму
искреннюю любовь к России.

> *— Я полюбил этот неброский, уютный русский*
> *городок, его простых, доверчивых людей. Здесь я*
> *впервые узнал, что такое русская душа. Взрослым я*
> *проехал по России вдоль и поперек, встречал столь-*
> *ких людей, но ее, России, сердечный напев зазвучал*
> *во мне там, в Вышнем Волочке. Я еще раз убедился в*
> *том, что первое впечатление — самое верное.*

В Волочке мальчик продолжил занятия в музыкальной школе-семилетке у педагога Валентины Михайловны Шульгиной, которую он запомнил как мудрого и терпеливого наставника. Кроме школы женщина работала в городском драмтеатре музыкальным оформителем, а также руководила хором в одном из учебных заведений.

— Мне нравилось в Валентине Михайловне редкое для педагога качество: хороший педагог бывает и жестким, и добрым. Валентина Михайловна не заставляла меня сделать то-то и то-то, а предлагала. И всякий раз поощряла мои успехи, даже тогда, когда я ленился и играл хуже, чем мог. Она как бы давала понять: ты хоть и не хочешь разучивать задание, а все же играешь хорошо. Обычно в школе не поощряется вольность в исполнении ученика, а Валентина Михайловна, наоборот, отмечала, что я по-своему трактую некоторые произведения. «В девять лет иметь свое музыкальное мнение, — сказала она про меня на экзамене, после которого я перепрыгнул сразу через класс, — это совсем неплохо и ко многому обязывает». Я и сам чувствовал, что учусь здесь, в Волочке, лучше, чем в родном Баку. Может быть, и потому, что русский мороз как следует проветривал мозги?

Благодаря присутствию матери-актрисы и знакомству с театральным миром, у Муслима проявился новый творче-

ский интерес. К тому же для развития новых способностей у него было много свободного времени — все-теки из-за катастрофической занятости в театре Айшет наняла няньку присматривать за сыном. Эта женщина не оставила приятных впечатлений, и чувствовалась, что она исполняет свои обязанности только из-за денег. Конечно же, она не могла заменить Муслиму любимую бабушку и дядю с его женой-полькой, да и других домашних, оставленных им в теплом Баку. Тогда, чтобы не страдать в разлуке, мальчик стал находить себе занятия по душе. Среди его новых увлечений появилась тяга к театру.

— *Мой интерес к театру вскоре вылился в то, что я увлек нескольких ребят идеей организовать кукольный спектакль. К тому времени я уже немного лепил, поэтому сделать кукол для небольшого спектакля «Петрушка» мне было нетрудно. Мы достали почтовую коробку, смастерили из нее сцену, сами написали текст, и наши марионетки на ниточках разыграли короткий спектакль минут на десять. Нам хотелось, чтобы у нас было все, как в настоящем театре: мы даже брали за билеты «деньги» — фантики от конфет…*

Муслим Магомаев с мамой

Глава 8

«ЧЕРНЫЕ РОЗЫ» ПЕЧАЛИ,
или СЕМЕЙНАЯ ДРАМА МАГОМАЕВЫХ

Справочники весьма скупы, описывая мать Муслима Магомаева. Прочитав их, нам становится понятным, что:

Айшет Ахмедовна Магомаева, известная также под сценическим псевдонимом Кинжалова, (19 ноября 1921 — 23 августа 2003, Мурманск) — советская актриса театра. Сталинская стипендиатка (1941). Мать народного артиста СССР певца Муслима Магомаева.

Айшет Магомаева, адыгейка, из рода Ханжал (Ханжалов), по сцене Кинжалова, родилась в Майкопе 19 ноября 1921 года. Дворянка, внучка полковника Терского казачьего войска Ивана Александровича Ханжалова, выпускника юнкером в 1878 Михайловского военного училища.

Айшет училась в Нальчике, позже в Москве в ГИТИСе. Некоторое время жила в Баку. Основная часть её театральной карьеры прошла в Чимкентском русском драматическом театре. В нём она сыграла во множестве спектаклей, среди которых были такие как «Принцесса Турандот», «Кроткая»,

«Чёрные розы». По некоторым данным, была ведущей артисткой этого театра, а пьеса «Грушенька» с её участием ставилась несколько лет подряд и собирала аншлаги. С 1971 года по 1978 год работала в Мурманском областном драматическом театре, где и закончила карьеру.

Мать народного артиста СССР певца Муслима Магомаева от первого брака с Магомедом Магомаевым (погиб на фронте 1945 году), второй муж Леонтий Кафка был актером областного драмтеатра, дети от второго брака Юрий и Татьяна[10].

В материале «Сегодня 90 лет со дня рождения актрисы Айшет Магомаевой, служившей в Мурманске»[11] мы находим новые характеристики, данные этой удивительной женщине, подарившей жизнь такому талантливому ребенку, чья исполнительская культура покорила сердца миллионов слушателей по всему миру.

«Айшет Ахмедовна была очень талантливым человеком: играла на многих инструментах — баяне, гитаре, домбре, аккордеоне. Прекрасно импровизировала, изумительно пела, причем могла исполнять песни разных народов без какого-либо акцента. Многие бывшие коллеги считают, что именно от нее певческий дар передался ее первенцу Муслиму. Но прежде всего, конечно, в театре ее запомнили как яркую исполнительницу разноплановых ролей, вспоминают свидетели сценического успеха Магомаевой.

Айшет Магомаева скончалась в Мурманске 21 августа 2003 года. Прощание с актрисой состоялось в драматическом театре.

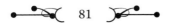

Дети Магомаевой от второго брака долгое время жили в Мурманске рядом с матерью. Сын Юрий, мурманчанин, стал музыкантом, играл в различных коллективах столицы Кольского Заполярья. Певцом стал и внук актрисы — Юрий. По сцене он — Юрий Магомаев.

Как сообщается на официальном сайте певца, в январе 2012 года он выступит с концертной программой на сцене Мурманского областного драматического театра, на сцене которого играла его бабушка Айшет».

Добавим, что Муслим до конца своей жизни поддерживал связь со сводными братом и сестрой.

Конечно, ни один справочник, ни одна энциклопедия не сможет передать психологическую драму, разыгравшуюся в семье этой красивой женщины, вынужденной оставить сына на попечении родственников погибшего в 1945-м мужа, с которым она прожила совсем недолго.

Автор книги «Муслим Магомаев. Биография» Е. Мешаненкова писала:

«Жизнь в Вышнем Волочке Муслим Магомаев всегда вспоминал с удовольствием, хотя прожил он там недолго. Айшет была молода и красива, и, конечно, наступил момент, когда она вновь решила выйти замуж. И как-то сразу стало понятно, что ее сыну лучше вернуться к бабушке. Конечно, расставание далось им тяжело, но Муслим на удивление повзрослому к этому отнесся. Не было ни трагедий, ни вражды, ни ненависти, и со своими сводными братом и сестрой, родившимися во втором браке Айшет, он потом всю жизнь поддерживал хорошие отношения. Но все же в его воспоми-

Юрий Магомаев

наниях, когда он говорил о матери, всегда звучали нотки горечи, словно он сам себя пытался в чем-то убедить, но у него это не слишком получалось...»

Умудренный опытом расставания с близкими, Муслим Магомаев зафиксирует в своих откровенных воспоминаниях:

— Человеку трудно без матери, но в жизни без жертв не обходится. У нее были на меня все права, но она понимала, где и с кем мне будет лучше. Хотя мать с затаенной горечью и говорила, что она не только меня родила, но и таланты мои не от Магомаевых, а от нее, она ошибалась: мои таланты не только от нее. От нее у меня голос, от Магомаевых — музыкальность. На меня оказывали влияние и атмосфера семьи, в которой я рос, и наша музыкальная школа... А консерватория? А оперный театр, в который я тоже пришел как в дом родной? Всего этого мать не смогла бы мне дать при ее образе жизни, при разъездах по разным городам. Она понимала это сама и отпустила меня. И за это я ей благодарен... И еще я считаю подарком судьбы то, что рос в той культурной среде, которая и сформировала меня, среди замечательных музыкантов, что окружали меня в детстве и в юности.

Конечно, расставание с сыном нанесло психологическую травму и самой матери, пытавшейся балансировать между инстинктом и желанием дать своему талантливому ребенку самое лучшее для его полноценного развития.

В материале «Неизвестные страницы истории матери Муслима Магомаева — Айшет Кинжаловой»[12] наиболее полно выведен портрет актрисы и женщины, затаившей в сердце печаль, сокрытую от людских глаз.

«В истории Чимкентского областного русского драмтеатра (так раньше назывался ЮжноКазахстанский областной русский драматический театр) много интересных страниц. Но немногим известно, что на его сцене работала мать прославленного Муслима Магомаева — Айшет Кинжалова.

В преддверие 80-летия ЮжноКазахстанского областного русского драматического театра своими воспоминаниями с «Комсомолкой» поделились его артисты.

В Чимкент Айшет Кинжалова (Магомаева) приезжала работать дважды: первый раз — в конце 60-х годов, второй — в 80-е. Свидетелей ее первого пребывания и жизни здесь в коллективе самого театра уже не осталось. Из документов сохранились лишь фрагменты: сводная афиша «Открытие VIII театрального сезона» 1965-66 годов (в ней Айшет фигурирует в творческом составе) и фотография коллектива театра 1960-х годов.

Известно, что в эти годы Айшет играла в знаковом спектакле «Черные розы», инсценировке одноименного романа Джамала, в основе которого — душещипательная история любви, как сказали бы сейчас, «мыльная опера». Но тогда ее преподнесли так, что для местного театра «Черные розы» стали равнозначны «Принцессе Турандот» для театра Вахтангова (эта пьеса считается визитной карточкой, спектаклем-талисманом известного российского театра. — Авт.).

Достаточно сказать, что «Черные розы» значились в репертуаре, начиная с 1960-х, вплоть до середины 1980-х годов. Айшет Ахмедовна стала первой исполнительницей главной героини — Биби. В архиве театра сохранилась программка этого спектакля сезона 1968-1969 годов с указанием ее фамилии и инициалов — Кинжалова А.А. Как исполнительница она всегда выступала под этой фамилией. По одним данным, это был ее сценический псевдоним, по другим — девичья фамилия.

В те же годы она блистала в пьесе «Грушенька» (поставленной по центральному эпизоду повести Лескова «Очарованный странник»). По данным газетной статьи той поры, «Грушенька» с Кинжаловой ставилась в чимкентском театре несколько лет подряд, и все это время спектакль шел при переполненных залах.

Нам удалось найти зрителя того легендарного спектакля — преподавателя музыкальной школы Шымкента Изольду Белову, более полувека проработавшую в сфере культуры. По ее утверждению, «Грушеньку» ставили именно ради Айшет Кинжаловой: «Она играла очень проникновенно. Я до сих пор помню огромное впечатление от этого спектакля, ее образ в белой рубашке и с длинными волосами — он отпечатался в памяти, как фотография. Зрители даже стояли в проходах. Она была очень красивой, изящной женщиной, прекрасно пела. Вообще, ее появление в театре и городе произвело какойто взрыв».

Второй приход больше сохранился в памяти работников театра. В архиве даже нашлись некоторые официальные до-

Айшет в образе...

кументы — заявление от 9 ноября 1980 года о приеме на работу (временно) в штат театра, собственноручно подписанное Айшет; приказ о зачислении ее в штат актрисой, а также ряд приказов директора театра Швейцера о ее вводе, утверждении, назначении на роли в разных спектаклях. Во всех этих документах она проходит под фамилией Магомаева.

Между тем, как оказалась звезда в Чимкенте, сейчас уже никто не ответит. А актриса Валентина Федоровна Осипова, близко общавшаяся с Айшет Ахмедовной, предполагает, что, скорее всего, как и все остальные — через актерскую биржу в Москве: «Приезжаешь, становишься на учет, указываешь свой репертуар. А затем из театров идут приглашения. Актер выбирал наиболее подходящий ему вариант».

По всей видимости, в первый приезд город ей понравился, и спустя десяток лет она вновь вернулась сюда. Скорее всего, как предполагают в драмтеатре, на этот раз из Мурманска, где в то время жили ее дети от второго брака Юрий и Татьяна. По биографическим данным известно, что мать Магомаева работала в Мурманском областном театре много лет, там же, в Мурманске, она умерла.

— Когда в 1978 году я приехала работать в Чимкентский театр и узнала, что здесь работает мама Муслима Магомаева, я пришла в восторг! — вспоминает актриса, ветеран ЮжноКазахстанского областного русского драмтеатра Лариса Ивановна Шаповалова. — Я очень любила песни Муслима, он был для нашего поколения кумиром и легендой. Легендой лично для меня была и его мама. Поэтому я сразу познакомилась с Айшет Ахмедовной, выразила ей свое восхищение

Муслимом. И сразу же, «влюбившись» в эту личность, буквально вцепилась в нее. Тогда как раз был какойто праздник, я пригласила ее в гости. С тех пор мы часто проводили вместе праздники.

По словам ее современниц, Айшет очень любила читать, ходить в кино. Никогда не болела вещизмом. Вопросы обустройства и быта ее интересовали мало. Дома стояли рояль, кровать, приемник с проигрывателем, торшер и все. Но чистоплотность была неимоверная, у нее была «болезнь» — каждый день протирать полы — очень любила дышать свежим воздухом, а также постоянно вываривать кухонные тряпки. Как истинный представитель искусства заниматься хозяйством, особенно готовить, она не любила. Никогда не забивала голову проблемами насыщения утробы. Довольствовалась простой пищей и едой в столовой. В общении с людьми запомнилась очень простым, остроумным человеком, у которого всегда горели глаза. Ко всему прочему, даже в своем почтенном возрасте — тогда ей было под 60, всегда была красивой и подтянутой.

Валентина Осипова и Лариса Шаповалова говорят, что Айшет Ахмедовна была очень талантливым человеком, играла практически на всех инструментах — баяне, гитаре, домбре, аккордеоне, баяне. Прекрасно импровизировала, изумительно пела, причем могла исполнять песни разных народов без какого-либо акцента. Многие бывшие коллеги считают, что именно от нее певческий дар передался ее первенцу Муслиму. Но прежде всего, конечно, в театре ее запомнили как яркую исполнительницу разноплановых ролей.

— Мне посчастливилось несколько раз сыграть с Айшет Ахмедовной в одном спектакле, — делится воспоминаниями нынешний худрук ЮжноКазахстанского областного русского драмтеатра Игорь Вербицкий. — Это был 1980-й год. Мне было 17, и я только пришел в театр. Ставили легендарные «Черные розы». Так получилось, что актер, игравший роль сына Биби Надира, уехал на сессию в Ташкент. И вместо него включили меня. Моя роль была коротенькой, и это был единственный эпизод в моей жизни, когда мне довелось общаться с ней на сцене. Но я до сих пор помню эти незабываемые впечатления. Было безумно интересно, и в то же время было ощущение большой сопричастности к легендарной личности. В то время Муслим гремел по всему Союзу, и не было человека, который бы его знал. А тут в кулуарах шепчутся: «Айшет Магомаева!..».

По словам Вербицкого, Айшет Ахмедовна смогла изобразить в «Черных розах» Мать с большой буквы: «Когда я выходил на сцену в первый раз, у меня был мандраж. Айшет Ахмедовна заботливо отнеслась ко мне, помогала. По ходу действия она гладила, целовала и обнимала меня, плакала со мной. Так же по-матерински она успокаивала и понимала чувства начинающего актера, проявляла материнскую заботу и опеку».

В реальной жизни все было не так просто: материнские чувства Магомаевой были сопряжены с трагическими переживаниями. В театре ее родственные связи не афишировались. Слишком много ходило вокруг разрыва матери и сына слухов и сплетен. У публики, конечно, возник бы вопрос: почему он (Муслим) там, в Москве, а она здесь?

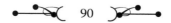

1980 год. Айшет Магомаева с коллегами по театру
(5-я справа)

Их не осмеливались задать ей даже самые близкие подруги. Не откровенничала и сама Айшет. Хотя по характеру она была очень веселой, жизнерадостной и общительной женщиной, личные темы никогда не обсуждала.

О причинах разлада с Муслимом она, правда, както обмолвилась с одной подругой, тоже актрисой. «По ее пересказу выходило так, что в семье погибшего мужа, отца Муслима, ее осудили дважды, — говорит Валентина Осипова, ссылаясь на то, что слышала. — Сначала за то, что вопреки восточным традициям не осталась в семье, не бросила учебу, а продолжила учиться на актрису. Потом, вторично, за то, что отвезла Муслима к дедушке и бабушке. Муслим в детстве был хулиганом, чуть не связался с плохой компанией — так она пыталась его спасти. Поэтому у него было отторжение, а у нее — страдания».

Муслим Магомаев в мемуарах вспоминал об этом так: «Послевоенная судьба мамы сложилась так, что она обрела другую семью. Я не могу ее ни в чем винить. Она драматическая актриса, всегда кочевала по городам России, никогда подолгу не работая ни в одном театре. Родной брат отца Джамалэтдин Магомаев и его жена Мария Ивановна стали для меня настоящими родителями».

Как бы то ни было, после долгих лет разрыва мать и сын вновь обрели друг друга. Как они потом помирилась, чимкентские подруги тоже не знают. Но с гордостью и удовольствием Айшет рассказывала, как сейчас живут сын и невестка, как встретила ее Тамара (Синявская), какие столы накрывала, какие подарки дарила. Одно из подаренных Тамарой

платье она, кстати, долго носила, и даже сфотографировалась в нем в компании с друзьями-коллегами.

Валентина Федоровна рассказала, что при встрече каждого Нового года Айшет всегда ждала «Голубой огонек»: «Ждала, когда будет петь сын. Все уже засыпали, а она сидела до 4 утра и просила не вызывать такси, подождать, когда споет Муслим. Дожидалась заключительных минут. И как только его объявляли, она замирала. Только он появляется на экране — она в слезы. Он пел, а мать уливалась слезами».

— Вы сказали, что когда впервые увидели Айшет, она была для вас легендой. А после того, как стали общаться с ней, сдружились, кем она для вас стала? — спрашиваю напоследок Ларису Шаповалову. В ответ: «Так и осталась легендой. Знаете, бывает, в легенду влюбляешься, потом узнаешь ближе, а это оказывается настолько неинтересный прозаичный человек. А чем больше я узнавала Айшет, тем больше в нее влюблялась…»»

Айшет Магомаева не станет 21 августа 2003 года. Прощание с актрисой состоится в драматическом театре в Мурманске. Известно, что дети Магомаевой от второго брака долгое время жили в Мурманске рядом с матерью. Сын Юрий стал музыкантом, играл в разных коллективах столицы Кольского Заполярья. Певцом стал и внук актрисы Юрий, выходящий на сцену Мурманского областного драматического театра, где прежде играла его бабушка Айшет, под своим звучным именем — Юрий Магомаев.

Глава 9

«НЕ ПОПЕТЬ ДЕНЬ БЫЛО ТРУДНО: САМА МОЯ ПРИРОДА ПРОСИЛА ЭТОГО!»

Итак, расставание было неизбежно; прощай, мама, прощай новые друзья и увлечения! Вместе с любовью к России и русскому духу юный азербайджанец привез и свой новый местечковый говор.

> — Когда бабушка привезла меня из Вышнего Волочка в Баку, тетя Мура чуть не упала в обморок, услыхав мой новый тверской выговор, все эти «эва, придурок-то», «гляди-ка», «тю-у-у»...
>
> — Джамал, ты только послушай, как разговаривает Муслим, — стонала моя строгая тетушка, привыкшая к хорошему литературному языку. — Что за диалект?
>
> Никакой это был не диалект, просто у меня обезьянья привычка перенимать на слух местный акцент. Я приезжал в Москву и тянул гласные, акал по-столичному. Возвращался в Баку — и через пять-шесть дней появлялся бакинский говорок.

Муслим в шестом классе

Подобная «обезьянья привычка» характерна только людям, обладавшим тонким слухом, а, значит, музыкальным, слышащим едва уловимые тональности звуков.

Вернувшись в свой любимый город, Муслим вновь продолжает учебу в музыкальной школе.

— Я продолжал учиться в музыкальной школе, вымучивал гаммы и «ганоны», ненавидя эти упражнения, которые, видите ли, необходимы пианисту. Хотя к обязательным музыкальным предметам я все же относился снисходительно. Если мне надоедала муштра или чужая музыка, я сочинял свою. Но вот моим увлечением стало пение. Я слушал пластинки, оставшиеся после деда, — Карузо, Титта Руффо, Джильи, Баттистини... Пластинки были старые, тяжелые. Чтобы они не шипели, я вместо патефонных иголок придумал затачивать спички — звук при этом был более мягкий. Спички хватало на одну пластинку.

Слушая записи вокальных произведений, я анализировал басовые, баритоновые, теноровые партии. Брал клавиры и пел все подряд, сравнивал то, что делали знаменитые певцы, с тем, как пел я сам: к четырнадцати годам у меня проснулся голос и я забасил. Но петь при посторонних стеснялся и потому скрывал свою тайну и от домашних, и от педагогов. Не стеснялся я только одноклассников, потому что скрываться от них было бы смешно.

Желание петь, которого так стеснялся мальчик, появилось после просмотра фильма «Молодой Карузо», в котором играла обворожительная красавица Джина Лоллобриджида, а великого неаполитанца озвучивал молодой Марио Дель Монако. Марио Дель Монако (1915, Флоренция, Италия — 16 октября 1982, Местре, Италия) — итальянский оперный певец (тенор), которого называют одним из крупнейших оперных певцов XX века и последним тенором di forza. Услышав его пение, Муслим понял, чего хочет добиться в жизни: «Я только догадывался, что можно петь так: меня уже начинало интересовать пение». Так художественный фильм уже не в первый раз оказал свое положительное влияние на становление личности Магомаева.

Когда парнишка понял, что у него есть голос, то старался петь при каждом удобном случае; «Для меня день не попеть было трудно: видимо, сама моя природа просила этого». Однако стеснительность брала верх: и он долгое время пел после школьных занятий, дождавшись, когда все ученики покинут стены школы, и с ним останется лишь один вахтер дядя Костя. Этот человек, странным образом не имевший отношения к музыке, но музыкально одаренный, давал мальчику ценные советы. Позже Муслиму стало известно, что его первый благодарный слушатель умер от туберкулеза.

— *Поскольку, в отличие от дяди Кости, я не мог слышать со стороны своего голоса, то не мог знать, как он звучит. Я уже говорил, что в семье у нас магнитофона не было, да я и не пел дома, поэтому один из моих одноклассников предложил пойти к его соседу,*

у которого магнитофон был, и записать меня, а потом прослушать. То, что я услышал, поразило меня: я не мог представить себе, что баритональный бас на пленке и есть мой голос. Это было для меня настоящим открытием — оказывается, это пою я, а не какой-то взрослый мужчина! Я к тому времени столько наслушался пластинок с записями итальянских певцов, что уже мог оценить звучание своего голоса на магнитофонной пленке. В четырнадцать лет я басил совсем не как подросток: голос мой уже оформился.

Скрывать тот факт, что я запел, было все труднее. В это время мы создали тайное общество меломанов. Собирались у моего друга Толи Бабеля, страстного поклонника Козловского и вообще Большого театра, и слушали вокальные записи. Как заговорщики, чтобы не узнали наши педагоги, мы слушали записи и джазовой музыки. Почему общество было тайным и почему как заговорщики? Просто то, что мы слушали, не входило в школьную программу. А нам мало что разрешалось кроме академической программы: порядок в школе был очень строгий.

Неудивительно, что в скором времени ребята от прослушивания перешли к практике, организовав небольшой джаз-банд.

— Уже тогда у меня началось как бы раздвоение в моих музыкальных пристрастиях: я любил и классику, и джаз, эстрадную музыку... Я собрал и кру-

Встреча одноклассников через годы.
Муслим Магомаев первый слева в верхнем ряду

жок струнников и обработал, как умел, каватину Фигаро — в переложении для двух скрипок, альта, виолончели и рояля. За роялем, естественно, сидел я. Репетировали мы тоже тайно, потому что наш педагог по музыкальной грамоте считала, что я хоть и очень способный, но усваиваю предметы неохотно. Отвлекаться на посторонние занятия при таких моих учебных успехах было непозволительно, но я отвлекался.

Мне не хотелось тогда объяснять учительнице, что я и сам сочиняю музыку. Что, к примеру, мою скрипичную пьесу уже исполняет мой друг Рафик Акопов. А потом, зачем я буду раскрывать ей нашу тайну? Позже, узнав о моих сочинительских «грешках», меня перевели в класс детского творчества, где я начал «творить» пьесы и романсы, причем на стихи с детства обожаемого Пушкина.

Прошло не много времени, и тайна, которую скрывал юный певец, стала явной. Однажды его пение после уроков, проводимое только для вахтера, услышала учительница русского языка Мария Георгиевна, случайно оказавшаяся на тот момент в стенах школы. А услышав, тут же сказала: «Буду ждать приглашения в первый ряд на твой первый концерт».

На следующий день о певческих талантах ученика узнала вся школа. И тут же на уроках музлитературы Муслима сделали вокальным иллюстратором — чтобы он пел арии и романсы вместо пластинок.

Так что неудивительно, что следующими на очереди из тех, кто должен был узнать об исполнительских талантах Магомаева, были его родственники. И это произошло в момент, когда в гостеприимном доме Магомаевых собрались друзья. Кто-то из гостей попросил: «Пусть Муслим покажет, чему научили его в школе, сыграет нам Баха или Моцарта». В этот момент дядя Джамал съехидничал что-то по поводу игры своего племянника: мол, не жду я бурного восторга от ученической игры. А далее произошло неожиданное.

— Я разозлился, сел за рояль и выдал им... каватину[13] Фигаро. Стулья не ломали, просто сначала была немая сцена, закончившаяся шумным восторгом. Больше всех был доволен и удивлен дядя Джамал: в доме, у тебя на глазах растет молодой человек, все только и думают, как бы сделать из него хорошего пианиста и композитора, а он, видите ли, садится за рояль и... (О подобной сцене рассказал и Пласидо Доминго. Его родители до поры не знали, что их сын поет. И когда он примерно в такой же ситуации запел, они открыли рты от удивления.)

Глава 10

ВСЕ ВОСХИЩАЮТСЯ, А ПЕТЬ НЕ ДАЮТ...

Тогда, когда Муслим понял и принял себя как начинающего певца, у него начался переходный возраст, повлекший с собой ломку голоса. Впрочем, сам процесс ломки голоса был для Муслима незаметен, ему казалось, что проблема мутации позади, и в свои четырнадцать лет он обладает настоящим, певческим голосом, ровным баритон-басом. И тут, как назло, взрослые стали утверждать, что петь ему противопоказано, чтобы не испортить этот самый голос; «все восхищаются, а петь не дают».

Одним из противников «распевания» был и дирижер Ниязи, приходившийся Муслиму дядей. Ниязи — это сценическое имя дирижера, полное имя этого родственника Ниязи Зульфугарович Гаджибеков.

Но запреты лишь подогрели желание петь, выступать на публике. В тайне ото всех Муслим Магомаев пришел в Клуб моряков. Директор клуба прослушал и охотно парня в самодеятельность. Муслим стал ездить с концертами по клубам и предприятиям, и вскоре уже обрел известность в Баку. Нако-

Отрочество. Слава уже близко...

нец-то и близкие не могли нарадоваться успехам звонкого-
лосого мальчишки, Муслима расстраивало лишь то, что про-
фессионалы никак не хотели его признавать. В своей книге
воспоминаний он приводит случай, оставивший недоумение
и ранивший его самолюбие, но заставивший еще критичнее
относиться к тому, что он делает.

— *В Баку приехал Большой театр. Эталон нашего
оперного искусства. Приехал первый раз в моей жизни. Вот и случай, решили мои покровители, представить меня, юное дарование, на суд «небожителей».
Руководство нашего Бакинского оперного театра
вместе с Ниязи заручились согласием одной масти-
той певицы прослушать меня. Впервые я услышал ее
голос на пластинках моего друга в том нашем «тай-
ном» кружке меломанов. Тогда пластинок с записью
итальянских певцов в продаже не было, у нас выпус-
кались только записи наших, отечественных мастеров вокала, в основном солистов Большого театра.
Так что имя той певицы было мне известно и ее ав-
торитет тогда был для нас несомненен.*

*Терзала меня примадонна и так и сяк: и то спой-
те, и это, попробуем распеться, а теперь арию... Аккомпанировал я себе сам. Если номер был послож-
нее, за рояль садился концертмейстер. Я спел купле-
ты Мефистофеля из «Фауста», каватину Фигаро из
«Севильского цирюльника», неаполитанские песни. Пел часа полтора... Никакого отклика. Каменное*

лицо. «Спасибо, молодой человек. Вы покуда погуляйте, а мы тут побеседуем с товарищами». Беседа затянулась. Вышла наша стихийная комиссия под водительством дяди Ниязи с опущенными носами. Не понимая, что происходит, я подошел к солисту нашего театра Бунияту-заде, великолепному баритону, который всем тогдашним баритональным знаменитостям сто очков вперед давал.

— Дядя Буният, а что это наши носы повесили?

— Да мало ли что, сынок, бывает. Старая она. Не понимает молодых.

— Что она сказала?

— Ничего не сказала. Носитесь, говорит, с ним, а ничего особенного. Мальчик с хорошим голосом, и не больше.

После этого вопиющего случая дядя Джамал, занимавший пост заместителя председателя Совета министров Азербайджана, решил показать племянника некому московскому доктору Петрову, «то ли ларингологу-певцу, то ли певцу-врачу». Тем более что Джамалу предстояла командировка в Госплан СССР. Так Муслим, сопровождавший родственника в столицу, встретился со специалистом по голосовым связкам и пению. Доктор Петров, осмотрев молодого человека, постановил: все в полном порядке, если хочет — может петь!

Тогда же, в ту давнюю первую поездку в Москву, Муслим Магомаев первые сделал записи своих песен в студии звукового письма, — «которые дали мне возможность по-настоя-

щему узнать ощущение собственного голоса со стороны».
А еще в Москве произошел случай, когда некий баритон из
Оперного театра, с которым случай свел начинающего певца,
проигнорировал его способности.

Не покорив первопрестольную с наскоку, юноша возвра-
щался домой...

— Под стук вагонных колес отступила обида на
именитого баритона с обычной русской фамилией,
отозвавшегося с холодным пренебрежением о моем
пении. Потом, когда узнаю, что абсолютно объективных оценок не бывает, я найду объяснение таким по-
ступкам мэтров. Когда узнаю, что мнения знамени-
тостей субъективны, неожиданны, зависят от сию-
минутного настроения, я пойму и то, что редко кто
из больших талантов обладает естественной добро-
желательностью.

Муслиму Магомаеву 15 лет.
Первая «проба» на роль Фигаро

Глава 11

«ОТКРОЙ РОТ. ПРЕДСТАВЬ РОЗУ. ВДОХНИ АРОМАТ. И ПРОСТО ПОЙ...»

К счастью, в жизни нашего героя были и достойные мэтры, которые не могли себе позволить пренебрегать истинным талантом. Так, одним из тех, кто щедро помогал Муслиму Магометовиду в те годы, был известный виолончелист, профессор Бакинской консерватории Владимир Цезаревич Аншелевич. Энциклопедическая литература этот эпизод в жизни Магомаева подает так: «Талантливого ученика приметил профессор консерватории виолончелист В.Ц. Аншелевич, который стал давать ему уроки. Аншелевич не ставил голос, а показывал, как его филировать[14]. Опыт, приобретённый на занятиях с профессором-виолончелистом, потом пришёлся кстати, когда Магомаев начал работать над партией Фигаро в «Севильском цирюльнике»»[15].

Муслим Магомаев, вспоминая своего учителя, говорил:

— Меня и поразило, и смутило необычайно эмоциональное отношение профессора к моим вокаль-

ным данным: «Голос у тебя дай Бог!..» Но тут же Аншелевич назвал мой главный недостаток — я пою так, как будто хочу убить всех своим звуком. На что я с некоторой бравадой подтверждал этот свой изъян: «Да, я хочу петь как итальянцы. У итальянцев именно такие голоса — с напором». — «С напором петь хорошо, но певцу надо быть музыкантом. Петь как инструмент, например, как виолончель. Она ближе всего к человеческому голосу».

И профессор Аншелевич стал безвозмездно, может быть, ради любви к делу, ради творческого интереса, давать мне уроки. Занимались мы месяцев пять. Он не вмешивался в вокал, не ставил голос (это было заботой Сусанны Аркадиевны), а показывал, как филировать голос — убирать звук, учил обращать внимание на ремарки автора: если пиано, то и надо петь пиано, если меццо-форте, то именно так, а не иначе. А если, скажем, крещендо, то и надо усиливать звук без срыва, плавно. Всем этим техническим премудростям он учил меня долго и терпеливо. Это позже, как следует поучившись, я позволял себе вольности с авторскими пометками, а тогда это была необходимая школа. Я действительно грешил форсировкой звука, думал: чем громче, тем эффектнее. Я подражал пластинкам: Энрико Карузо и Титта Руффо так филировали, так расправлялись со всеми этими мордентами, трелями и прочими фиоритурами, что, кажется, ни один нынешний певец уже не сможет сделать это.

И так как пение отныне стало основным порывом и целью музыкального гения, то было решено, оставив элитную музыкальную школу при Бакинской консерватории, продолжать учебу в Бакинском музыкальном училище, где общеобразовательные предметы не требовали таких усилий, как прежде. Это учебное заведение имело свою уникальную судьбу и свои исторические и музыкальные традиции.

Все началось с того, что в 1885 году выпускницей Московской консерватории Антониной Ермолаевой, при поддержке двух ее сестер — Елизаветы и Евгении, была открыта в Баку частная музыкальная школа. Директором школы стала Антонина Ермолаева. На базе этой школы в 1901 году были открыты музыкальные классы при Бакинском отделении Русского музыкального общества (РМО). Их также возглавила А. Ермолаева. В 1916-м музыкальные курсы были преобразованы в музыкальное училище. Педагогический состав училища в основном состоял из выпускников русских консерваторий. Обучение осуществлялось на том же материале, которые были приняты в начале XIX века в Петербурге и в Москве. В 1922-м училище возглавил выдающийся азербайджанский композитор Узеир Гаджибеков. В период руководства Узеира Гаджибекова (1922—1926 и 1939—1941 года) в школе были открыты новые факультеты, где, наряду с европейскими инструментами, началось изучение основ теории и игры на восточных инструментах. В 1953 году учебному заведению было дано имя азербайджанского композитора и педагога Асафа Зейналлы.

Муслим Магомаев начинает учебу в этом заведении в 1956 году; учился у преподавателя А.А. Милованова и его

Владимир Аншелевич

многолетнего концертмейстера Т.И. Кретинген (закончил в 1959 году).

Но именно в этом учебном заведении Муслиму довелось столкнуться с преподавателем, который чуть не угробил его природный певческий талант. Из приведенного ниже рассказа мы увидим, как важно держаться подальше от некоторых «доброжелателей-профессионалов», навязывающих свою точку зрения и насколько важен индивидуальный подход в развитии любого таланта.

— В музыкальном училище педагогом по вокалу у нас был Александр Акимович Милованов. Рослый мужчина с внешностью героев Дюма-отца. Породистое лицо, усы. Интеллигентный, глубокий, остроумный, но... К сожалению, он меня немножечко «угробил»: почему-то решил, что у меня слишком большой голос и мне тяжело лезть на верхушки. Известно, что мощным голосам труднее брать крайние верхние ноты. И Милованов стал пытаться несколько «убрать» мой голос, то есть я должен был зажимать горло, петь почти давясь. А голосу надо выходить из самых недр твоего существа, естественно и свободно. В общем, мы дозанимались до того, что чувствую — мне не поется.

Свой голос я проверял так. Открывал крышку рояля (так я делал, пока не появился магнитофон), нажимал на педаль и, сложив руки рупором, орал на струны — посылал мощный звук и слушал. Струны отражали голос, отзывались. Обычно, копируя мой

голос, они звучали мощно, а тут стали едва отзываться противным дребезжащим эхом. Перемены в голосе заметили и друзья-сокурсники, которые всегда восхищались моим вокальным аппаратом. Они мне так и сказали:

— Ты стал петь хуже. Что случилось?

Я объяснил:

— Александр Акимович хочет, чтобы я убирал голос.

Ребята посоветовали, чтобы я пел, как раньше, — не надо мне идеальных верхушек, со временем появится и это.

Мне предстояло поговорить по душам с Миловановым. Но спорить с педагогом было неудобно — я его уважал, у него были талантливые выпускники-вокалисты. И я пошел к Сусанне Аркадиевне (С.А. Микаэлян. — Авт.). Конечно, она была на меня обижена за то, что я перестал заниматься с ней. Но мудрая, добрая, она все поняла. Послушав меня, Сусанна Аркадиевна ахнула:

— Что с тобой сделали?.. Вспомни, как ты пел. Открой рот. Набери дыхание. Представь себе розу. Вдохни аромат. Просто спой букву «а». Ну... слышишь? Ты зажимаешь связки.

Позанимавшись с Миловановым месяцев восемь, Муслим уже привык петь по-новому, а тут снова довелось переучиваться. С трудом он возвратил то, что чуть было не потерял...

А вот с кем будущей певческой звезде Союза повезло, так это с концертмейстером Тамарой Исидоровной Кретинген. Ей доставляло особое удовольствие заниматься с новым учеником, выискивать для него произведения старинных композиторов и неизвестные романсы. И вскоре Муслим Магомаев под аккомпанемент Т.И. Кретинген выступал на филармонической сцене, приобретая необходимый сценический опыт.

> — Жизнь в училище кипела, друзей и музыки было много. Поощрялась концертная практика. Мы много выступали, в том числе и в филармонии. Хорошо помню тот свой романтический настрой — ведь я занимался любимым делом. Педагоги училища не ограничивали свободу своих студентов, поэтому мне и нравилось здесь учиться. В музыкальной школе такого не было: там мы были ученики, которых держали в строгости, а здесь я чувствовал себя взрослым, самостоятельным...

Ну а там, где «взрослость» и «самостоятельность», там возникает и чувствование иного рода, когда в груди словно начинают порхать бабочки неизведанных удовольствий.

Портрет Людмилы.
Художник Муслим Магомаев

Глава 12

ТАЙНА ОФЕЛИИ,
или «Я ВСТРЕТИЛ ДЕВУШКУ, ПОЛУМЕСЯЦЕМ БРОВЬ...»

Как только Муслима захватило чувство любви, его родные поняли, что происходит с парнем. Как итог: в один прекрасный день бабушка, чуя неладное, спрятала паспорт. Интуиция пожилой женщины сработала правильно: Муслим собрался жениться на девушке со сказочным именем Офелия.

В репертуаре Муслима Магометовича есть песня с такими простыми и в то же время пронзительными словами:

Я встретил девушку — полумесяцем бровь,
на щечке родинка и в глазах любовь.
Ах, эта родинка меня с ума свела,
разбила сердце мне, покой взяла.

Я потерял ее, вместе с нею любовь —
на щечке родинка, полумесяцем бровь.
Ах, эта родинка меня с ума свела,
разбила сердце мне, покой взяла...

Сюжет этой коротенькой песенки как нельзя лучше передает историю первой любви ее исполнителя.

Среди несомненных достоинств избранницы было то, что девушка обладала сильным лирико-колоратурным сопрано. Отцом Офелии был работавший в Академии наук ученый-химик. И с этим человеком у нашего влюбленного установились теплые отношения, чего не скажешь о матери Офелии. Все неурядицы начались после того, как молодые тайно поженились и поселились в квартире тещи и тестя.

Понятно, что для регистрации брака нужен паспорт, и, конечно же, разными хитростями и уловками Муслим вернул себе документ. После чего в нем появилась запись о браке. Семья Магомаевых была поставлена перед свершившимся фактом.

Жизнь в семье Офелии сразу же наполнилась разными неурядицами и выяснениями отношений. Как это часто бывает, новоиспеченному молодожену указывалось, что он обязан достойно содержать семью. Так что пришлось искать постоянный заработок. И тогда Муслим Магомаев начинает свою работу в Ансамбле песни и пляски Бакинского округа ПВО. Шел 1961 год.

— С ансамблем мы ездили по разным городам, в том числе и по курортным. Везде был успех. Гастрольная круговерть отвлекала меня от домашних неурядиц. Из поездки возвращаться домой не хотелось, разыгрывать роль благопристойного семьянина не позволял характер. В ансамбле мне плати-

ли по тем временам прилично. Нравилось мне и носить военную форму, отдавать честь. Нам, штатским в форме, льстило, что настоящие военные приветствуют нас, козыряя. В этом была игра, как бы костюмированный спектакль.

Биограф многих эстрадных звезд Федор Раззаков в книге под названием «За кулисами шоу-бизнеса» пишет об этом периоде жизни Муслима Магомаева следующее:

«Еще в ранней юности Магомаев был необыкновенно красив, из-за чего девушки его просто обожали. Они бегали за ним и в школе, и в Бакинской консерватории, куда он поступил в 1959 году. Среди тамошних воздыхательниц Магомаева была первая красавица консерватории Офелия. Она и стала его первой женой. Причем, по слухам, женила его на себе насильно. Однажды она пригласила Муслима в пустующую аудиторию, закрыла дверь на швабру и... Как честному человеку, Магомаеву пришлось на девушке жениться. Ему в ту пору было 18 лет, ей — 21. Спустя некоторое время у них родилась прелестная девочка, которую назвали Мариной. Однако рождение дочери не уберегло молодую семью от развода. Поскольку число поклонниц у Магомаева не уменьшалось, Офелия часто закатывала ему скандалы, порой даже выгоняла из дома. Претензий к молодому мужу было у нее в избытке...»

«В юношеском браке Муслиму приходилось, прямо скажем, несладко. Родня жены считала, что он не щадя себя должен зарабатывать деньги. Юноша же мечтал тогда петь в

*«Я встретил девушку — полумесяцем бровь,
на щечке родинка и в глазах любовь.
Ах, эта родинка меня с ума свела,
разбила сердце мне, покой взяла».*

оперном театре, пусть и в маленьком. Но родственники супруги встречали эти желания Муслима в штыки. Самым невыносимым для певца были всегдашние упреки: «Из тебя не выйдет хорошего мужа!». Муслим был принят в Ансамбль песни и пляски Бакинского округа ПВО. Но после этого Офелия стала тяготиться сумасшедшим гастрольным графиком восходящей звезды. Молодая женщина хотела, чтобы муж всегда был с ней...

По приглашению друзей вместе с Офелией он переехал работать в Грозный, на родину прадеда Магомета»[16].

Однако и на новом месте все сложилось не так, как ожидалось. Начались поездки по дальним аулам, проживание в дешевых холодных гостиницах, частые застолья... стоит сказать, что Муслим до этого ни разу не пробовал спиртного. Впрочем, в Чечне он тоже этим не увлекался. Но творческая и семейная жизнь Магомаевых испытывала трудности в первую очередь из-за катастрофической нехватки денег. Юного исполнителя нещадно эксплуатировали местные дельцы от культуры, не желая платить за выступления. А тут еще впервые у певца пропал голос — от сквозняков и тряски во время езды по горным да проселочным дорогам. К слову: во второй раз голос у Магомаева пропадет во время длительных и утомительных гастролей на Дальнем Востоке.

Нищенское существование и частое отсутствие мужа надоели Офелии, и девушка уезжает из Грозного обратно в Баку. Через какой-то срок вслед за супругой возвращается на родину и Муслим; правда, поселяется не у Офелии, а находит

пристанище в семье директора Бакинского оперного театра Рамазана Халилова, племянника Узеира Гаджибекова, сына одной из сестер бабушки Байдигюль.

Вскоре, правда, молодые предприняли попытку примирения, ведь и повод был солидный — оказалось, что юная барышня в положении.

> — После отъезда Офелии из Грозного в Баку я решил, что наша совместная жизнь закончилась, но, узнав, что жена ждет ребенка, вернулся в ее дом. У нас родилась дочка (1961 год), мы назвали ее Мариной... Но наша семейная жизнь не получалась... Впоследствии мы расстались...

Имя для дочери было выбрано отцом не случайно, оказывается, еще в 13-летнем возрасте мальчишкой он был влюблен в школьницу Марину и даже написал в ее честь песню, которую исполнял на школьных праздниках и вечеринках. В 1970-х годах эта композиция стала известной всей стране.

> — Что тут сказать? — со вздохом вспоминал Муслим Магометович об этой странице жизни. — Мальчик 18 лет впервые воспылал к женщине... Первая реакция моя — надо жениться! Сейчас мне об этом своем легкомыслии и говорить смешно. Я благодарен тем временам — что наш недолгий брак, он длился всего один год, подарил нам дочку. У меня очень хорошая дочь Марина — за что Офелии боль-

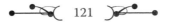

шое спасибо. А про то, что я перетерпел в той семье, и вспоминать не хочу...[17]

Все попытки склеить разбитую о быт семейную лодку не привели к желаемому: в конечном счете молодая ячейка советского общества распалась. Утверждают, что ставший звездой Муслим Магомаев платил «бешеные алименты» за свою дочь, оставшуюся с матерью. Позже Марина с матерью переехали жить за океан, в США.

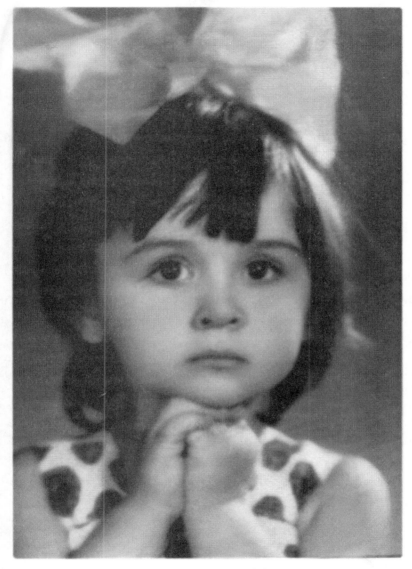

Дочь М. Магомаева Марина

Глава 13

ХЕЛЬСИНКСКИЙ ФЕСТИВАЛЬ И ЖУРНАЛ «ОГОНЁК»

Неожиданно для себя М. Магомаев получил уведомление, что его срочно ждут в Центральном комитете комсомола Азербайджана, где молодому певцу было объявлено, что ему доверили честь представлять республику на VIII Всемирном фестивале молодежи и студентов в Хельсинки. Кроме солиста Магомаева в делегации СССР от закавказской республики были еще Оркестр радио и телевидения Азербайджана под управлением Тофика Ахмедова.

Эта поездка была очень ответственной в силу разных причин, к тому же в то время обстановка в мире ухудшалась, как фурункул планетарного масштаба, назревал Карибский кризис[18].

Сам Муслим Магометович с восторгом вспоминал это счастливое для него время, когда едва ли не впервые по достоинству был оценен его певческий талант и дана возможность заграничного путешествия.

— Хельсинкский фестиваль начался для меня в Москве — с Центрального дома Советской Армии имени Фрунзе, где гостей при входе встречали задраенными жерлами пушки времен Гражданской войны. В этом здании будущие участники молодежного фестиваля, большей частью артисты самодеятельные, собрались для репетиций культурной программы нашей делегации. Руководил этой огромной артистической «кухней» постановщик наших концертов режиссер, народный артист СССР И. Туманов.

Помню легкость, с какой я взбегал по беломраморным маршам лестницы, ведущей наверх, в репетиционные залы, в которые срочно превратились гостиные и прочие апартаменты бывшего Екатерининского дворца. В небольшой, сплошь зеркальной комнате я репетировал с оркестром Тофика Ахмедова песни «Хотят ли русские войны» Э. Колмановского на стихи Е. Евтушенко, «Бухенвальдский набат» В. Мурадели на стихи А. Соболева, итальянские лирические песни «Guarda che Luna» («Посмотри, какая луна»), «Come prima» («Как раньше...»)... Мне было приятно, что на наши репетиции в эту тесную зеркальную комнату набивались участники фестиваля из других республик. Мои песни нравились. По этим открытым эмоциям я предчувствовал успех. Чем меньше оставалось времени до отъезда на фестиваль, тем большее нетерпение я испытывал.

Из Москвы мы выехали в Ленинград. Хотя я попал в этот город впервые, но тогдашних своих впечатлений от его красот не запомнил: делегацию сразу с вокзала отвезли в порт, где нас ждал белоснежный лайнер «Грузия». На всю фестивальную неделю он становился нашим домом. Жили мы весело, шумно, дружно, под легкое покачивание теплохода у хельсинкского пирса. Большинство членов нашей делегации попали за границу впервые, чувствовали себя скованно. Невольное напряжение было еще и потому, что нас перед отъездом напичкали разного рода предупреждениями об осторожности в чужой стране, о возможных провокациях... Теплоход «Грузия» еще только подходил к причалу хельсинкского порта, а с его борта уже зазвучали песни и собравшиеся на пирсе приветствовали нас... Когда мы начали спускаться по трапу, нам вручали план города, где были помечены места будущих концертов, встреч, соревнований.

Между прочим, провокации действительно случались. К примеру, в день открытия фестиваля произошел неприятный инцидент, когда один из автобусов, в котором ехали советские исполнители, хулиганы забросали камнями.

Как вспоминал Магомаев, с оркестром Т. Ахмедова они выступали много, по нескольку раз в день, на разных площадках: в залах, на улицах. Молодость и восторг, обуревав-

С Президентом Азербайджана Гейдаром Алиевым

ший певца, вылились в признание: «Почему-то на финской земле мне пелось как никогда...»

Итогом фестиваля стал общий концерт советской делегации, завершивший разноплановую культурную программу. На теплоходе тогдашний первый секретарь ЦК ВЛКСМ С.П. Павлов вручил медали участникам, наиболее отличившимся во время фестиваля, среди которых был и наш Муслим Магомаев. Конечно, это окрыляло, но...

— Мне же хотелось в Финляндии совсем другого — не думать о каких-то провокациях, а просто подурачиться, пошататься по улицам, посмотреть на ребят, съехавшихся со всего мира. Я был молод, впервые попал за границу, хотелось посидеть в их кафе, посмотреть, как живут здесь люди, увидеть всю эту иностранщину, про которую нам такое наговорили... Да где там! Покидать в одиночку теплоход не рекомендовалось, деньги нам выдали мизерные, поскольку мы питались (очень прилично) на борту. Ходить можно было только группами... Так что толком Хельсинки я и не видел.

Вернувшись из творческой командировки в Москву, Муслим неожиданно для себя увидел в журнале «Огонек» свою фотографию. Еженедельный иллюстрированный журнал «Огонёк», получивший всенародную популярность в СССР, имел миллионные тиражи. Так что попасть на его страницы считалось признанием несомненных талантов и заслуг.

Уже осенью того же года оркестр Ахмедова, а вместе с ним и Магомаева пригласили на съемки на Центральное телевидение. После выхода передачи на экраны молодого певца начали узнавать.

— *Это было первое признание, но о настоящей известности тогда не могло быть и речи.*

После поездки в Хельсинки Муслим вновь работал в Баку, стажером в Азербайджанском театре оперы и балета, готовил и исполнял партии текущего репертуара. Набирался опыта, как сейчас бы сказали…

Глава 14

«НАКОНЕЦ-ТО У НАС ПОЯВИЛСЯ НАСТОЯЩИЙ БАРИТОН!»

В марте 1963 года в Москве проходила Декада культуры и искусства Азербайджана. В столицу великой советской страны съехались лучшие художественные коллективы республики, мэтры и талантливая молодежь. Концерты, в которых участвовал Муслим Магомаев, проходили в Кремлевском Дворце съездов (ныне Государственный Кремлевский дворец).

Многие журналисты впоследствии спрашивали Муслима Магометовича: был ли страх перед публикой, сидящей в громадном зале в преддверии самого исполнения? Интересен ответ ставшего всенародно любимым артиста:

— Тогдашнего своего волнения я не помню, видимо, у меня не было особого страха перед выступлением. Я был слишком молод, меня еще не знали. Страх перед выступлением пришел позже. Это теперь, несмотря на то, что имею уже большой опыт, я волнуюсь как сумасшедший. Когда приходит извест-

Выступает Муслим Магомаев.
1960-е годы

ность, появляется имя, тогда появляется и ответственность — ты не имеешь права петь хуже, чем спел вчера. А тогда этого чувства у меня еще не было.

На всех концертах исполнителя принимали очень душевно, но «своей артистической интуицией я не чувствовал какого-то особого успеха». И вдруг!

Это был последний концерт, транслируемый Центральным телевидением на всю страну. Муслим Магомаев спел «Бухенвальдский набат», затем каватину Фигаро. Благодарная публика восторженно аплодировала и скандировала «браво!». Обратив внимание, что в правительственных ложах также неистово аплодируют, певец принял решение повторить каватину, но уже на русском языке. Он кивнул дирижеру Ниязи, и музыка полилась...

Стоит сказать, что в правительственной ложе находился дядя Джамал, давно живущий и работающий в Москве. А еще здесь же находилась министр культуры Екатерина Алексеевна Фурцева, которая со временем (особенно после распада СССР) приобретет черты фигуры зловещей и непредсказуемой. Министр культуры была в восторге от нового молодого исполнителя. Повернувшись к своему соседу по ложе, народному артисту СССР Ивану Семёновичу Козловскому, советскому оперному певцу, обладавшему тенором, она громко сказала:

— Наконец-то у нас появился настоящий баритон. Баритон!

Кстати, познакомившись с товарищем министром лично — сначала по случаю фуршета в знак окончания вышеназванного мероприятия, а затем уже и по работе, Магомаев составил свой личный портрет руководительницы всесоюзного ранга, ведавшего вопросами советской культуры.

— ...с Екатериной Алексеевной Фурцевой мне *довелось общаться много. Я узнал ее достаточно хорошо, поэтому могу сказать, что была она человеком незаурядным и на своем месте. Она любила свое дело, любила артистов. Многим она помогла стать тем, кем они стали. Но почему-то сейчас считается чуть ли не за доблесть бросать одни лишь упреки в ее адрес. Мне представляется это недостойным. Да, она была частью той системы, но, в отличие от многих, работала в ней со знанием порученного ей дела. Сейчас всем уже стало ясно, что лучшего министра культуры после Екатерины Алексеевны Фурцевой у нас не было. И будет ли?*

Что же касается того первого выступления в Кремлевском дворце, то в советской прессе тут же появились хвалебные рецензии на выступление бакинского самородка.

— *Пресса очень активно откликнулась на мой успех — восторженные оценки, анализ исполнения... Критических замечаний не припомню. Это и радова-*

ло, но и настораживало — неужели меня так высоко вознесли, что и камешком не добросишь?

Из тех отзывов приведу один, дорогой для меня, — билетеров Кремлевского дворца, самых искушенных, самых объективных и самых бескорыстных критиков. На концертной программке они мне написали: «Мы, билетеры, — невольные свидетели восторгов и разочарований зрителей. Радуемся Вашему успеху в таком замечательном зале. Надеемся еще услышать Вас и Вашего Фигаро на нашей сцене. Большому кораблю — большое плавание».

Как логическое продолжение успеха на кремлевской сцене стала скорая встреча с чиновником, объявившим, что на следующий день назначено прослушивание в Большом театре. Однако в тот раз Магомаев категорически отказался, не послушав даже трезвых доводов своего высокопоставленного дяди.

Тогда же, в тот приезд в столицу, Магомаеву довелось увидеть вблизи и практически познакомиться с руководителем страны Никитой Сергеевичем Хрущевым. Это партийный и государственный деятель посетил прием, устроенный по случаю завершения Декады мастеров искусств Азербайджана. На приеме среди прочих «шишек» присутствовали постпред Азербайджана Джамал Магомаев и Анастас Иванович Микоян, который, между прочим, в 1962 году участвовал в урегулировании Карибского кризиса, лично ведя переговоры с президентом США Кеннеди и кубинским прави-

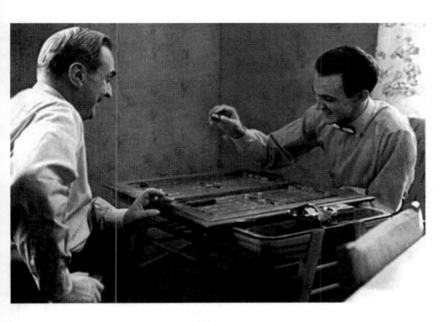

С дядей Джамалом

телем Кастро. Микояна, недавнего «сталинского сокола», с конца 1950-х годов считали одним из главных доверенных лиц Хрущёва.

О советском правителе, присутствовавшем на фуршете, Магомаев описывает так:

> — Просторная правительственная комната-гостиная наипервейшего нашего театра. Толкучка с фужерами и тарелками в руках — фуршет. ...Все вращалось вокруг Хрущева: что бы ни делалось и ни говорилось, все старались угодить хозяину. Казалось, что собрались здесь не в знак дружбы двух великих народов, а исключительно ради Хрущева. Ему то и дело подливали. Он раззадорился и перешел на воспоминания из военных лет. Никита Сергеевич любил козырнуть познаниями в разных сферах жизни. Хоть и дилетант, он умел подметить своим практическим умом ту или иную особенность, присущую предмету размышления.

Возможно, не зная об отказе молодого исполнителя работать в Большом театре, музыкальный редактор Московской филармонии Диза Арамовна Картышева предложила Муслиму Магомаеву провести сольный концерт в Концертном зале имени Чайковского — в одном из ведущих концертных залов страны! По странной причине на сей раз молодой человек не стал отнекиваться, хотя опыта сольных концертов у него не было.

И вот М. Магомаев возвращается в Баку, чтобы приступить к репетициям...

> — У молодости отчаянный напор. Свои первые шаги мы делаем, не осознавая и не предвидя последствий, рвемся в неизвестность, сознательно закрывая на что-то глаза... Примерно такая сумятица была в моей голове, когда я думал о своем выступлении. И все-таки чего я никак не мог избежать, как ни пытался, — это леденящего душу волнения.

Глава 15

«ВЫ ЗАМЕНИТЕ ШАЛЯПИНА. НО ВЫ ЛЕНТЯЙ...»

Знаковый концерт прошел в Москве 10 ноября 1963 года. Исполнитель был в курсе, что все билеты на его выступление проданы задолго до концерта. Впоследствии оказалось, что в день концерта поток зрителей был столь велик, и гости рвались в зал так рьяно, что даже снесли входную дверь в вестибюль.

Конечно же в зале, в «группе поддержки» — родные люди: дядя Джамал с тетей Мурой. И аншлаг в зале, люди стоят даже в проходах.

— ...я тогда вообще не ощущал себя во времени и пространстве. В зале что-то шевелилось и гудело. Гулко, отдаленно, нереально отозвался голос ведущей. Странные звуки собственного имени. Всё как во сне. Потом было так, как это бывало с артистами во все времена, как будет во веки веков. Волне-

Муслим Магомаев и Борис Абрамович

ние почти до потери сознания, а потом ты с ужасом и неотвратимостью понимаешь, что все уже началось. Помню только, как закружилась голова от невозможности справиться с напряжением. И вдруг почти все забыл и начал петь, только петь...

И еще одно весьма характерное замечание от маэстро:

— О голосе я вспомнил только тогда, когда почувствовал, как он предательски дрожит. Любопытный парадокс — насколько волнуется певец, настолько его волнение передается залу. Тебя смущают собственные исполнительские огрехи, а публика, не замечая этого, откликается на твою искренность и непосредственность. Когда же артист выходит холодным, как олимпийский бог, зал замыкается. Глаза видят, ухо слышит, сердце молчит.

Стоит упомянуть об одной характерной особенности, присущей Муслиму Магометовичу. Он уже давно осознал, что не может петь подряд более 6-7 произведений, связкам нужен 10-15-минутный отдых. Потому в концерте, проходившем на московской сцене, с ним вместе (вернее, самостоятельно) выходит к публике скрипач Александр Штерн.

Благодаря полученному опыту мэтр примет для себя за правило учитывая разные вкусы, строить концерты так: из классических произведений и эстрадных номеров.

— Первое отделение — классика, второе — эстрада. К симфоническому оркестру присоединялась гитара, ударные и бас. Симфонический оркестр превращался в эстрадно-симфонический. Это стало традицией.

Традицией стало и выступление с концертмейстером Борисом Александровичем Абрамовичем, с которым наш певец познакомился после своего первого концерта в зале Чайковского. То была поистине судьбоносная встреча, определившая навсегда концертную деятельность Магомаева. За этим странным и вместе с тем удивительным человеком Муслим Магометович признавал самые яркие черты, давая тому четкую характеристику:

— Он был великий профессионал. Все мои последующие концерты строились им. Он был педантичен в подборе программы. Обладал четкой музыкальной логикой — каждый композитор должен был занять в программе свое место. Он и у меня выработал эту логику. Других таких концертмейстеров я больше не встречал и, наверное, больше не встречу. Мне повезло, что в начале моей концертной деятельности у меня был такой наставник.

Это был ни на кого не похожий пианист. Но имелась у него одна странная для музыканта особенность — он терпеть не мог на пюпитре рояля ноты: они ему мешали. Его рояль должен был быть чист.

Если мне нужно было транспонировать какой-нибудь романс выше или ниже, Борис Александрович брал клавир, смотрел в него несколько секунд. И все! Откладывал ноты и играл в любой тональности. Феноменальная память и удивительный интеллект! Мой компьютер и то ошибается, а Абрамович не ошибался никогда.

Специальные справочники выдают о Б.А. Абрамовиче самые скупые сведения:

«В 1933-83 концертмейстер Моск. филармонии. Выступал в ансамбле с крупнейшими певцами (с Держинской, Доливо, Бандоровско-Турской). Был аккомпаниатором-репетитором Неждановой, ассистентом оперного и кам. вокального классов ряда ведущих педагогов»[19].

«Российский пианист-ансамблист. В 1930 г. окончил Московскую консерваторию по классу фортепиано. В 1932-1941 гг. ассистент оперного и камерного вокальных классов З.П. Лодий, К.Н. Дорлиак, А.Л. Доливо; в 1934-1940 гг. концертмейстер класса А.В. Неждановой в Оперной студии Большого театра. В 1941-1944 гг. ассистент А.М. Пазовского в Ленинградском театре оперы и балета им. С.М. Кирова (в Перми). С 1933 г. концертмейстер Московской филармонии. Был аккомпаниатором-репетитором А.В. Неждановой и выступал в ансамбле с крупнейшими советскими и зарубежными вокалистами: К.Г. Держинской, Д.Я. Пантофель-Нечецкой, А.Л. Доливо, М. Капсир и др.»[20].

Во время поездки в Милан. 1964 год

Странным образом, в биографических справочниках ничего не сказано о сотрудничестве пианиста и выдающейся звезды советской эстрады Муслима Магомаева. Да и сведения о нем самом слишком скупы. Видимо, и впрямь очень скромным был этот талантливый человек.

Кстати, это Борис Александрович приучил выходить на поклоны к публике только Муслима, сказав, как отрезав:

— Вы — король на сцене. Забудьте, что я играю. Главное только вы и только музыка.

А на закате своей жизни музыкант уверенно выдал в адрес Муслима Магометовича:

— Единственный человек, который может заменить в наше время Шаляпина, — это вы. Но вы лентяй...

И это о нем, о Борисе Александровиче, наш гениальный баритон тепло и пронзительно говорил, рассказывая о двух своих записанных дисках[21]:

— На диске со старинными ариями помещены и романсы П. Чайковского и С. Рахманинова, которые были записаны в студии на улице Станкевича. Этой работой я тоже могу быть удовлетворён и не только потому, что у меня был очень строгий редактор Ирина Орлова, но и потому, что аккомпанировал мне незабвенный Борис Александрович Абрамович. Я считаю подарком судьбы, что в моей жизни был этот человек. Он был концертмейстером на моём первом сольном концерте в зале имени П.И. Чайковского осенью 1963 года. Мы потом работали

с ним в течение нескольких лет, и был он для меня не просто концертмейстером — он был моим наставником. Профессионал высочайшего класса, он обладал не только стилистическим чутьём, безупречным вкусом и музыкальной логикой, но и феноменальной памятью. Почему-то он не любил, когда на пюпитре рояля стояли ноты, возможно, они его отвлекали, и потому всегда играл наизусть. Если мне было необходимо транспортировать какой-либо романс ваше или ниже, Борис Александрович несколько секунд смотрел в клавир, откладывал его в сторону и начинал играть в нужной тональности. В этом было что-то невероятное... До сих пор я храню в своём сердце благодарную память об этом необыкновенном человеке и музыканте.

Глава 16

MIO CARO MICHELE: «ЛИБРЕТТО ЧИТАТЬ НАДО!»

Вернувшись с гастролей в родной город, Муслим получил новое приятное известие: его, как перспективного певца, отправляют в Италию на стажировку в миланский «Ла Скала».

Ехать в Милан пришлось поездом. Пятерых стажеров, прибывших из Москвы в январе 1964 года, поместили в небольшой гостинице «Сити-отель»: пять номеров на одном этаже, и душ только в номере старосты группы Николая Кондратюка.

— После приезда нам дали отдохнуть один день, а потом устроили встречу в кафе, расположенном на первом этаже театра. Там мы познакомились с директором синьором Антонио Гирингелли. Для меня тогда было полной неожиданностью, что у синьора директора была своя обувная фабрика и что за работу в театре он не получал ни лиры. Наоборот, в трудные времена (и у «Ла Скалы» такое бывает) помогал ему

Знаменитый «Ла Скала»

из своих средств. Такой вот оказался хозяин-меценат. Слабостью его сердца была несравненная Мария Каллас: ее имя не сходило с его уст. Гирингелли терпел все ее капризы, а характер у примадонны был не подарок... Я вспоминаю его с очень теплым чувством: он почему-то относился ко мне с особым вниманием, даже с симпатией, называл меня mio caro Michele (мой дорогой Микеле), потому что имя Муслим по-итальянски звучит очень похоже на Муссолини.

Муслиму предстояло пробыть за границей почти полгода: как раз один театральный сезон театра «Аа Скала». Но, как сетовал позднее маэстро, «поскольку итальянцы постоянно праздновали Дни то одного святого, то другого святого, то еще что-нибудь, да еще случались какие-то забастовки, то перерывов в занятиях было достаточно». Так что с практическими занятиями дела обстояли неважно. Зато новоприбывшим полагались бесплатные посещения спектаклей театра. А позже появился еще один существенный бонус: в награду за усердие за счет «Ла Скала» их отправят в экскурсионную поездку по городам Италии (по маршруту Генуя — Венеция — Верона).

Фабрикант-меценат Гирингелли был доволен прибывшими, он даже радостно бросил после прослушивания новичков:

— Слава богу, наконец-то прислали молодые голоса, с которыми можно поработать. А то посылают к нам «стариков», попевших как следует.

Проживание и питание советской молодежи, приехавшей в Милан по обмену (в СССР стажировались в это же время в Большом театре пять итальянских балерин), было весьма скромным. Обедали прямо в театре, что сильно экономило и так незначительный бюджет. Стажеры получали стипендию от «Ла Скала» — сто десять тысяч лир (по тогдашним временам это сто пятьдесят рублей). Деньги не такие уж и большие, чтобы удовлетворить даже скромные аппетиты советских ребят, — а в Италии они видели множество искушений и в первую очередь тех, что были связаны с их профессиональной деятельностью. День стипендии по советской традиции стал для ребят днем складчины, когда они покупали вкусную снедь и традиционное итальянское кьянти, а после беззаботно проводили время в гостинице.

— Нас в Милане окружало столько соблазнов, одни пластинки чего стоили. У меня был любимый магазин пластинок, где меня уже знали. Продавщица сразу выкладывала веером новые записи, и я «налегал» на любимых мною Марио Ланца, Джильи, Ди Стефано, Гобби, Бекки... Я привез с собой из Италии огромное количество пластинок. Когда мы улетали из Милана, то в аэропорту Володя Атлантов даже предложил мне свою помощь. Дело в том, что я сложил все пластинки в большую спортивную сумку. Она оказалась настолько тяжелой, что было ясно: таможенник сразу все увидит. Володя, человек очень сильный, решил, что он понесет ее, при этом как бы

показывая, что ничего тяжелого в сумке нет. Но та-
моженник все равно увидел и приказал: «На весы!»
Когда мы поставили сумку на весы, у него чуть гла-
за на лоб не полезли — такое оказалось превышение
веса. Пришлось доплачивать разницу за багаж.

В тот незабываемый год в Италии Муслим не только слушал на пластинках, но и видел вживую многих своих куми-
ров. А когда вернулся на родину — исполнял оперные партии
на итальянском. Что, кстати, вызвало неудовольствие некоторых чиновников от культуры. Вот как описывает подобные
инциденты сам «виновник» неудовольствий:

> — Начальству в Министерстве культуры не нра-
> вилось, что я исполняю партии Фигаро и Скарпиа в
> разных театрах страны на итальянском языке. Меня
> вызвал к себе руководитель Управления музыкаль-
> ных учреждений Завен Гевондович Вартанян. (Инте-
> ресный факт: насколько хорошо ко мне относилась
> Екатерина Алексеевна Фурцева, настолько прохлад-
> но ее заместители.) Вартанян решил пожурить меня
> за то, что я пою по-итальянски. При этом ссылался
> на письма, которые они получали, где были жалобы:
> — Трудящиеся не могут понять, о чем ты поешь.
> — Зачем же вы меня посылали в Италию? Я учил-
> ся у педагогов мирового класса, и они остались мною
> довольны. Я выучил оперные партии на том языке, на
> котором они написаны. Что же мне теперь, переде-

Педагог по вокалу Дженарро Барра

лать все на русский? И на другой манер, и с другой фразировкой. А дух произведений?.. Тоже надо переделывать? Забыть то, чему меня учили? А если кто-то, придя в оперный театр, ничего не понял, то чем же артисты виноваты? Опера — это не кино. На оперные спектакли надо ходить подготовленными. Кроме того, в театре специальные программки продают.

— Переделывать, не переделывать. Но что-то делать надо...

— Ничего не надо делать, Завен Гевондович. Либретто читать надо, то есть делать то, что делают за границей, когда слушают нашу оперу на чужом для них русском языке. Вы можете себе представить «Бориса Годунова» на французском? А песню «Вдоль по Питерской» на английском?

— Нет. Я, например, не могу.

— Потому-то во всем мире и ставят русские оперы на русском языке. Пусть и поют на плохом русском языке, но поют, потому что исполнять того же «Бориса Годунова» на другом языке — это будет другое пение, другие нюансы. Это другая опера. Со временем и у нас придут к тому, чтобы оперы исполнять на языке оригинала. В этом и состоит одна из задач искусства.

«...когда стало известно, что Магомаев все-таки едет в Италию, с ним по заказу Центрального телевидения поспешно сняли музыкальный фильм «До новых встреч, Муслим».

Это не было полноценное игровое кино — просто несколько неаполитанских песен, исполненных Магомаевым в красивом антураже и объединенных несложным сюжетом о молодом певце, который из Италии посылает любимой девушке музыкальные письма. Условная возлюбленная слушала песни и видела в мечтах то Муслима верхом на лошади, то море, то прекрасную итальянскую природу, снятую на самом деле все в том же Азербайджане», — сообщает автор книги «Муслим Магомаев. Биография» Е. Мешаненкова. И действительно Муслима ожидали в стране миллионы поклонников как самого близкого и дорогого человека. Возможно, именно благодаря этой народной любви молодому исполнителю и удалось пережить некоторые неблагополучные моменты творческой биографии: преследование со стороны ОБХСС[22] за завышенные гонорары, наказание невозможностью выступать на протяжении полугода и другой прессинг. Все эти неприятности посыпались на М. Магомаева практически сразу по возвращении из благополучной Италии.

Глава 17

«МУЖЧИНА ДОЛЖЕН БЫТЬ МУЖЧИНОЙ. И ПИЛ, И КУРИЛ, И ДЕВОЧКИ БЫЛИ»

Документальный музыкальный фильм «До новых встреч, Муслим», как уже говорилось, предполагал некую виртуальную для всех зрителей и слушателей девушку, тогда как, оказывается, в то время у певца, давно разведенного с первой женой и обладавшего не только великолепным голосом, но и броской внешностью, была новая возлюбленная — красавица певица Тата Шейхова.

И пока товарищ Н.С. Хрущев с удовольствием неоднократно просматривал снятый в Баку по заказу Центрального телевидения фильм о талантливом певце, сам виновник этого внимания находился на стажировке в Италии, откуда отправлял музыкальные письма своей пассии Тате Шейховой. Но этому красивому роману, как и многим другим любовным романам Магомаева, не суждено было воплотиться в семейную реальность, — не известно, как и по какой причине молодые люди расстались. Муслим Магометович одна-

Легендарный азербайджанский джазмен
Рафик Сеидзаде и народная артистка Натаван Шейхова

жды кратко написал об этом эпизоде своей жизни: «Правда, серьезного романа у нас не получилось».

Пройдут года, и Натаван Шейхова станет известной эстрадной певицей, народной артисткой Азербайджана. А в 2011 году она вместе со своим супругом легендарным джазменом Рафиком Сеидзаде примет участие в телепередаче бакинского телевидения, в котором речь кроме прочего будет идти о счастливой семейной жизни, прожитой этой парой уже на протяжении долгих сорока пяти лет!

Нужно сказать, что в своих книгах М. Магомаев старательно избегает разговоров о женщинах, врывавшихся в его жизнь. В отличие от современных творческих людишек, кичащихся своей неразборчивостью и выставляющих напоказ все свои сомнительные любовные «достижения», наш герой, как истинный мужчина, не имел права выдавать личные секреты, подвергая поклонниц и возлюбленных колким подозрениям со стороны окружающих. В этом и есть смысл истинно высоких взаимоотношений мужчины и женщины. А вот о ком он не уставал вспоминать, так это о своей последней и верной любви — о супруге Тамаре Синявской, с которой прожил долгие годы счастливой жизни, и которая умела ценить его, как ни одна другая.

— Мужчина должен быть мужчиной. Я и пил, и курил, и девочки у меня были, — признался как-то Муслим Магометович.

О личной жизни кумира миллионов известно не так уж много; в наше время журналисты Михаил Панюков и Юрий

Николаев предприняли попытку заглянуть в святая святых, написав статью «Сто женщин «бакинского соловья»»[23], опубликованную в «Экспрес-газете».

«- В «Советском экране» судачили, что у Магомаева были романы более чем со ста красивейшими женщинами СССР, — поведала нам легендарный бильдредактор этого популярного журнала Анна Итенберг. — Муслим всегда был джентльменом, не обсуждал свою личную жизнь. Но куда бы он ни приехал, под его окнами толпились сотни поклонниц. Что в такой атмосфере можно утаить?!

Магомаеву приписывали романы и с Натальей Кустинской, и с Натальей Фатеевой, сватался он к Эдите Пьехе».

Ну а еще в эту «сотню красавиц» входила и певица Ирина Аллегрова. Семья будущей эстрадной исполнительницы переехала в Баку из Ростова-на-Дону в 1961 году.

В январе 2014 г. на телеканале НТВ показали сюжет «Императрица и бакинский соловей», посвятив ее «азербайджанскому периоду» жизни певицы Ирины Аллегровой и ее роману с Муслимом Магомаевым, о котором якобы до сих пор ходят легенды в цветущем городе Баку.

Впервые Аллегрова увидела Муслима, когда ей было всего 12 лет, — тогда певец посетил их дом по приглашению ее отца. Как вспоминали участвовавшие в передаче давно ставшие взрослыми одноклассницы Ирины, та была модницей, с юных лет обожала краситься, а заодно привлекала к этому делу подруг, снабжая весь класс самодельной косметикой. Ну

и была жутко влюблена в «бакинского соловья» — легендарного азербайджанского певца Муслима Магомаева.

А вот что касается самой легенды, — читаем подробности[24]:

«Одноклассницы намекают, что когда Ирина Аллегрова выросла и превратилась в красивую девушку, Муслим Магомаев ответил ей взаимностью, но как далеко зашли отношения влюбленных, бакинские подруги певицы не выдают. «Давайте не будем говорить о Муслиме Магомаеве. Если она захочет, то сама расскажет», — подчеркивают подруги Ирины Аллегровой. В «Ты не поверишь!» приводится цитата из интервью Ирины Аллегровой одному из печатных изданий, в котором певица впервые рассказала о своих отношениях с Муслимом Магомаевым: «Я была девушкой гордой и до поры до времени таила в себе чувство, которому позволила развиться лишь тогда, когда увидела, что Муслим стал проявлять ко мне знаки внимания. Все цветы с его концертов приносились в наш дом и дарились мне. Я, конечно же, просто летала! В то же время я понимала, что в жизни Муслима есть женщины, и смириться с этим мне было трудно». В сюжете также подчеркивается, что именно назло Муслиму Магомаеву Ирина Аллегрова в первый раз вышла замуж, затем развелась со своим супругом еще до рождения дочери и переехала из Баку в Москву».

Между прочим, писатель Ф. Раззаков утверждает следующее, приводя слова обаятельного ловеласа, коим предстает перед нами Магомаев: «После развода, наученный горьким опытом, Магомаев долгое время не женился, предпочи-

Ирина Аллегрова в молодости

тая браку официальному гражданский. Артист вспоминает: «Когда я развелся, у меня были женщины, причем иногда подолгу, но все равно это было не то. Практически вся моя молодость прошла в гостиницах. Ну, а гостиница — это, естественно, проходной двор. И, конечно, все кончалось хождением по ресторанам, застольем в номерах и так далее...»

И если о связи практически с каждой из «ста красавиц» Союза никаких подробностей не наблюдается, то стоит сказать, что личная история семьи Магомаевых все же оставила имена тех, кто действительно сумел завоевать горячее сердце азербайджанского исполнителя, пусть и на непродолжительное время...

Глава 18

ЛЮДМИЛА КАРЕВА:
БРУНГИЛЬДА И «КОРОЛЕВА КРАСОТЫ»

В 1960—1970-е годы Муслим не на шутку увлекся красавицей Людмилой Каревой, занимавшей должность музыкального редактора Всесоюзного радио. По утверждению одних (и это активно используют в своих статьях журналисты), они прожили вместе долгих 10, а то и 15 лет, по мнению самой Л. Каревой — все 16, по словам Муслима Магометовича — только 6.

В уже упоминаемой газетной статье «Сто женщин «бакинского соловья»»[25] особое место уделено именно этим отношениям.

«Мы жили в Баку в двух комнатах коммуналки, а в Москве в основном по гостиницам, иногда снимали квартиру, — вспоминает Карева. — Муслим был человеком прекрасным во всех отношениях: фантастический певец, талантливый артист, добрый друг, роскошный любовник, каких больше не было, и гениальный мужчина.

А начались их отношения... на спор. 20-летняя тогда Людмила поспорила с подружками на бутылку коньяка и комплексный обед, что «охмурит Магомаева за десять дней». Музыкальная редакция пила коньяк уже через четыре дня.

— О регистрации брака мы даже не думали, — признается Карева. — Нам просто было не до этого... На гастролях нас отказывались селить в одном номере. Как-то Магомаев на банкете рассказал о своей проблеме министру внутренних дел Щелокову. Тот выдал справку следующего содержания: «Брак между гражданином Магомаевым Муслимом Магомедовичем и Каревой Людмилой Борисовной прошу считать фактическим и разрешить им совместное проживание в гостинице. Министр внутренних дел Щелоков».

Расстались мы потому, что всему хорошему когда-нибудь приходит конец... Оборвалось все по глупости. Что-то надо было забыть, на что-то закрыть глаза, что-то просто простить. Мы не сумели этого сделать. В его жизни появилась Тамара Синявская... После того как мы разошлись, я пришла в «Росконцерт» и говорю: «Снимайте мне по всей стране дворцы спорта, я еду с гастролями. Аншлаги гарантирую». Народ удивился: «А что ты будешь делать?» — «Расклеивайте афиши: «Интимная жизнь Муслима Магомаева с показом диапозитивов»».

Если верить всему, что пишут о личной жизни Муслима Магомаева, то не хватит никакой фантазии, и в ряду его «побед» будет не сотня первейших красавиц, а целых две сотни, если не больше. К примеру, биограф советских звезд Ф. Раз-

Людмила Карева

заков утверждает, что Людмила Карева в период начала их отношений была не единственной возлюбленной всесоюзного соловья Магомаева.

«Где-то с середины 60-х Магомаев «крутил любовь» с красавицей Милой Фиготиной. Вспоминает Б. Савченко: «Мила Фиготина, похоже, жаждала выйти за Муслима замуж: следила за его окружением, не допуская к нему «нежелательных» особ женского пола, периодически разыгрывала сцены ревности. Впрочем, кто кому их больше устраивал, еще вопрос. Иногда создавалось впечатление, что они вот-вот поженятся, но в последний момент «жених» всегда увиливал... Следовал беспощадный разрыв, как следствие — взаимная опустошенность, а потом опять — бурные встречи, оргии-восторги и т.д., и т.п...»

Параллельно с этим романом у Магомаева был еще один — с Людмилой Каревой. Как много позже будет вспоминать сама Людмила, с Муслимом она познакомилась... на спор. Поспорила с подругой на бутылку коньяка и комплексный обед, что легко охмурит знаменитого певца. И выиграла. Через четыре дня после знакомства Магомаев был влюблен в нее, что называется, по уши. Они встречались на протяжении нескольких лет, то сходясь, то опять разбегаясь. Много позже, уже переехав жить в США, Людмила будет утверждать, что от Магомаева у нее родился сын. Но сам певец от этого ребенка категорически откажется.

Что касается романа Магомаева с Фиготиной, то он закончился на рубеже 70-х. После этого, походив какое-то время в холостяках, Магомаев встретил наконец женщину, кото-

рая стала его второй официальной женой. Это была известная оперная певица Большого театра Тамара Синявская».

Увы, хочется указать автору на недопустимую ошибку... подобные ошибки зачастую вызывают к жизни множество сплетен и легенд... Все дело в том, что Мила Фиготина и Людмила Карева — это одно и то же лицо.

Об этой запутанной истории, в которой имеется внебрачный сын (или не имеется, — ибо сам Магомаев от отпрыска официально отказался), рассказал поэт-песенник Анатолий Горохов. И веры ему больше, чем иным биографам.

С поэтом встретилась журналистка «Московского комсомольца» Светлана Самоделова; позже на страницах СМИ появилась ее статья «Супергерой Советского Союза»[26]. Оттуда мы и почерпнем следующие сведения:

«Конечно, красивейший и элегантнейший из мужчин не был монахом. В музыкальной редакции Всесоюзного радио Муслим Магомаев познакомился с симпатичной женщиной — Людмилой Каревой. Между молодыми людьми вспыхнула страсть, которая полыхала без малого десять лет.

— Я Милку в свое время взял на работу, — рассказывает Анатолий Горохов. — Отец у нее был известный композитор и аккордеонист Борис Фиготин. Но он ничего не делал, чтобы пристроить дочку на хорошее место. Однажды в Союзе композиторов у нас проходило мероприятие. Я вижу, на подоконнике сидит ревет девчонка из передачи "Доброе утро". Выяснилось, что редакторша, с которой они постоянно не ладили, наговорила ей кучу гадостей. А у нас работы было

невпроворот, я и пригласил ее к нам в отдел советской песни и эстрады.

Мила успела побывать замужем за музыкантом Каревым и развестись. В редакции она с большим энтузиазмом стала заниматься организацией концертов. На одном из них и познакомилась с Муслимом Магомаевым.

— Мила была очень способная, яркая, деятельная, — вспоминает редактор Всесоюзного радио Татьяна Александрова. — Небольшая полнота была ей к лицу. Шарм от нее исходил прямо за версту. У нас на этаже ее звали Брунгильдой. Она напоминала скандинавскую богатыршу, одну из валькирий. Конечно, все мы знали, что у нее роман с Муслимом Магомаевым. По тому, как она была причесана, можно было сразу определить, где находится певец — в Москве или на гастролях. И когда Мила приходила на работу прямо из парикмахерской, было ясно, что сегодня всеобщий кумир возвращается с гастролей.

Все записи на радио Муслима Магомаева того периода делались только с участием Людмилы Каревой. С коллегами она делилась, какой Муслим роскошный любовник и великодушный человек.

— Как раз в это время композитор Арно Бабаджанян принес на радио ритмичную мелодию и обратился ко мне: “Хочу такую… пахучую песню…”, — рассказывает Анатолий Горохов. — Композитору виделась будущая песня в стиле: “А ты ушла, моя Маруся…” Я хотел было отказаться от “песни с неким душком”, но меня обступили — с одной стороны Тереза Бабаджанян, с другой — сам Арно. Решил попробовать.

С Людмилой Каревой

На глаза мне попался привезенный кем—то из—за границы глянцевый журнал, где на обложке была изображена знойная кубинская красотка — победительница диковинного для нас тогда конкурса красоты. Я подумал, что влюбленных—то в мире — море и для каждого молодого человека его девушка — королева красоты. И родились строчки: "По переулкам бродит лето..." Песню доверили исполнить Муслиму Магомаеву.

— Я помню, как мы записывали "Королеву красоты" на радио, — продолжает вспоминать Анатолий Горохов. — Муслим пел в аппаратной за стеклом. Снаружи, у пульта звукорежиссера, стояла Мила Карева. Всем присутствующим было понятно, что он пел только для нее. Людмила была его "королевой красоты". Надо было видеть в это время лица влюбленных!

По итогам конкурса "Лучшая песня 1965 года" песня "Королева красоты" оказалась в ряду победителей.

Благосостояние Муслима к тому времени позволяло им с Милой жить в самых роскошных гостиницах. Но, бывая в Баку, певец старался снять квартиру. В восточном городе с неодобрением относились к внебрачным связям.

— Бывало, Милка исчезала, — рассказывает Анатолий Горохов. — Потом мне Муслим звонил из другого города: "Слушай, Толя, прикрой Людмилу, она со мной, на гастролях". Я сколько мог отмазывал Милку. Но потом она уволилась, стала на Центральном телевидении режиссировать выступления Муслима Магомаева.

Что развело яркую пару после десяти лет гражданского брака, остается только догадываться. В редакции Всесоюзного радио судачили, что Мила страшно ревновала певца, за которым девицы на гастролях ходили толпами. В отместку за интрижку она изменила Магомаеву с другим артистом, забеременела. Муслим узнал и прекратил с Милой всяческие отношения.

— Вскоре с маленьким сыном на руках, носящим двойное имя Даниил-Муслим, Людмила уехала сначала в Израиль, а потом перебралась в Америку, — рассказывает Татьяна Александрова».

Глава 19

ПРИВЕТ ИЗ АМЕРИКИ:
ФАЛЬШИВЫЙ СЫН И РЕАЛЬНАЯ ДОЧЬ

Действительно, имеет место грязная история с ребенком, которого бывшая любовница приписывает Магомаеву, да и сам этот великовозрастный сынок утверждал, что он — сын великого отца. Конечно, коллегам Магомаева было известно о его гражданском браке с Милой Каревой, но ни один из них не знал, что от этой связи у Милы родился сын.

В 1970-е годы Мила Карева по еврейской линии переехала на жительство в США, где и родила Даниэля Фиготина. Спустя многие годы Карева вдруг начала рассказывать о своей многолетней связи с Муслимом Магомаевым, и о том, что у него есть внебрачный сын. Но певец не принял этого; возмутившись, Муслим Магомаев ответил бывшей любовнице через СМИ:

— Я с этой женщиной жил в гражданском браке, однако, не 16 лет, как она утверждает, а всего лишь шесть. Если бы у меня был бы сын, я бы от него нико-

Муслим Магомаев с Эльдаром Кулиевым на съёмках
фильма «Низами»

гда не отказался, наоборот, я гордился бы им. После того, как мы расстались, у нас сохранялись нормальные отношения. Мила также поддерживала связь с Тамарой. А сейчас... Наверное, женщина была не в себе и искала сенсации.

Передачу о внебрачном сыне советской звезды показали в программе «Русские сенсации» на канале НТВ. И пока одни СМИ раскручивали сенсационные подробности постельной жизни «бакинского соловья», другие так же активно пытались определиться с причинами позднего появления на горизонте папаши великовозрастного отпрыска. И вскоре в прессе появились статьи под заголовком типа «Семья Муслима Магомаева после его смерти живет в атмосфере скандала...», «Царское наследство Магомаева вовлекло его семью в скандал».

После смерти Муслима Магомаева 25 октября 2008 года в российской газете «Жизнь» вышла статья о том, что проживающий в США внебрачный сын Муслима Магомаева выдвинул иск на наследство всемирно известного певца.

Газета «Сегодня» даже попыталась подсчитать, на какое богатство претендует новоиспеченный наследничек.

«На имущество великого певца претендует человек, называющий себя внебрачным сыном.

Роскошная квартира в историческом центре Москвы на Леонтьевском, обставленная с царским размахом, две шикарных квартиры в Баку и потрясающая резиденция на Николиной горе по соседству с высшими руководителями госу-

дарства... Какие капиталы оставил после себя певец — точно не известно. За 45 лет творческой деятельности самый талантливый и роскошный баритон всегда был востребован...»; «Недавно скандал разгорелся с новой силой. «Американский сын» посетил могилу Магомаева в Баку и даже сфотографировался у его памятника»[27].

В июне 2012-го мужчина действительно прилетал из Нью-Йорка в Баку, чтобы посетить могилу М. Магомаева, похороненного на Аллее почетного захоронения. Но, как писала местная пресса, он избегал общения с журналистами.

А уже в августе 2012-го «Собеседник» публикует заметку на своих страницах, где утверждалось[28]:

«На наследство известного певца заявил свои права Даниэль Фиготин, который называл себя его внебрачным сыном.

По его словам, его мать, Мила Фиготина, долго скрывала, кто его настоящий отец. Даниэль якобы даже не знал, что при рождении ему было дано двойное имя Муслим-Даниэль. Мужчина, который в США успешно занимается бизнесом, загорелся идеей пообщаться с родным отцом. Но сделать этого так и не смог, поскольку сам Муслим Магометович не признал его.

Муслим Магомаев открыто заявил, что у него с Милой не было детей и Даниэль не кто иной, как самозванец! Несмотря на это, после смерти артиста Даниэль одним из первых предъявил претензии на квартиру, машину и дачу своего якобы отца.

Однако когда суд попросил его предъявить документы, подтверждающие родство со звездой, пыл мужчины резко

остыл и, по слухам, он вернулся обратно в Штаты, где, видимо, до сих пор ищет свидетельство о рождении.

С тех пор Даниэль Фиготин о себе не заявлял, и родня Магомаева постаралась забыть его как страшный сон».

Единственная дочь от законного брака Муслима Магометовича Магомаева тоже проживает в Америке. Марина Магомаева-Козловская в своем интервью российским СМИ не признала сына Каревой своим братом:

— Это не сын моего отца! Отец еще при жизни отказался от него и лично мне говорил: «Я очень порядочный человек и никогда бы в жизни не отказался бы от сына. Он не мой сын, я даже знаю, кто его отец!»»

Поверить этим признаниям легко, стоит только посмотреть на фото «сына»: он очень похож на свою мать, и нет в нем ни единой черты харизматичного азербайджанского исполнителя.

Ялта, фестиваль «Крымские зори», 1972 г.
(Слева направо: Т. Синявская, Т. Сорокина,
К. Шульженко, М. Кодряну, Т. Миансарова,
М. Магомаев, И. Кобзон)

Глава 20

ОН МЕЧТАЛ ВЫСТУПАТЬ С ДОЧЕРЬЮ НА ОДНОЙ СЦЕНЕ

Мы знаем грустную историю юношеской любви Муслима и Офелии, подарившей своему супругу малышку Марину. После того, как родители разошлись, не прожив и года под одной крышей, отец был практически лишен возможности видеться с дочерью, влиять на ее воспитание и образование.

Рассказывает друг Муслима Магомаева Юрий Григорьев; интервью с ним журналист «Комсомолки» сделал в год смерти «бакинского соловья»[29]:

«Когда мы с ним познакомились, ему было 15. Мы вместе выступали в самодеятельности Баку. Потом меня забрали в армию.

Вернулся, встретились в 1961 году, он уже тогда развелся. Они прожили несколько месяцев. Это чистый случай. Была новогодняя компания, он там познакомился с девушкой. Влюбился, а через месяц выяснилось, что ошибся. Но родилась дочка. Они долго не общались. А потом, когда дочь стала более-менее взрослой, Муслим с женой Тамарой были в Америке, там с ней встретились.

— А дочку, когда она была маленькой, вы видели?

— Нет, не видел. Он разошелся, жена увезла дочку. Дочку Марину я увидел, когда Муслиму было 55 лет, это был 1997 год. На даче у Гейдара Алиевича. Был чудесный юбилей. И там я увидел его дочку первый раз. Сейчас, насколько знаю, Марина летит из Америки на похороны отца...»

По свидетельству многих, за единственную дочку Муслим Магомаев, зарабатывавший приличные деньги, всегда платил «бешеные алименты». Конечно, он не имел возможности часто видеть дочь, но все же некоторое влияние отца Марина на себе почувствовала.

В материале «Муслим Магомаев: история о первом несчастном браке и любимой дочери» рассказывается:

«Марина была очень близка с отцом, а Муслим бесконечно ценил дружеские отношения с дочерью. Хотя Марина окончила школу как пианистка, и ей прочили прекрасное будущее музыканта, она выбрала другой путь. Отец с нежностью говорил: «У меня прекрасная дочь Марина, уже взрослый человек. В свое время дед, академик-химик, уговорил ее учиться геодезии и картографии: видно из-за меня в семье жены появилась аллергия на музыку. Марина с отличием закончила школу как пианистка, ей прочили прекрасное будущее музыканта, она потрясающе играет с листа... Но профессиональным музыкантом дочь не стала. Решила найти себя в другом. Я не имел права что-то навязывать ей, давать советы, а тем более вмешиваться в ее судьбу. У нас с ней дружеские отношения, и я бесконечно ценю это...»».

Муслим мечтал выступать с дочерью на одной сцене. Но это было невозможно. В разлуке со своим ребенком певец делал те же выводы, что некогда и его мать, оставившая сына на попечении бабушки и дяди. Горечь ситуации повторилась...

— Если бы она жила со мной... Впрочем, как она могла жить со мной, ведь я очень долго вел скитальческую жизнь? Да и с ребенком на руках я был бы не свободен в творческой жизни. Так сложилось — Марина не стала музыкантом... Я убеждал дочь бросить свою географию, идти в консерваторию. Выступала бы со мной в концертах, аккомпанировала.

Узнав получше свое дитя, Муслим Магометович радовался:

— Марина унаследовала мой характер, по-женски его заострила. Получился, увы, похлеще моего...

В последние годы они часто встречались: или Марина с внуком прилетала в Москву или же в Огайо, где жили его близкие, прибывал знаменитый отец вместе со своей второй супругой Тамарой Синявской.

Марина вместе с супругом Александром Козловским, сыном Аленом и пожилой матерью Офелией живет в США. Любопытно, что отец зятя Геннадий Козловский был другом Муслима, и они даже в творческом дуэте написали две песни.

Муслим Магомаев с внуком

— Алик — очень хороший парень. Сначала они с Мариной долго общались по телефону, каждый день он звонил ей в Баку, а закончилось все свадьбой.

Любопытным журналистам Офелия, первая пассия Магомаева, состарившаяся в США, любезно поясняла о взаимоотношениях со второй семьей бывшего мужа:

— У нас с Тамарочкой прекрасные отношения, — говорит. — То, что нас с Муслимом связывало, — было давно. Она же не уводила у меня мужа. Они встретились после нашего развода. Да и Марина ей как дочь. Она с внуком часто ездила к отцу...[30]

Глава 21

МУСЛИМА ЛЮБИЛИ НЕ МЕНЬШЕ ГАГАРИНА!

Песенные «подвиги» Муслима Магометовича с его первых шагов на профессиональной эстраде поистине впечатляют: первая премия в Сопоте, «золотая пластинка» в Каннах, в 29 лет — Орден трудового Красного Знамени, в 31 — звание Народного артиста СССР. Говорят, в конце 1960-х директор знаменитого парижского театра «Олимпия» предлагал Магомаеву миллионный контракт, гарантируя, что сделает из него звезду мирового масштаба. Певец был впечатлен подобными перспективами, но Министерство культуры СССР запретило переговоры, заявив, что Магомаев нужен на правительственных концертах. И он действительно был востребован все его творческие годы.

Самым ценным в цепочке наград мастеру была искренняя, беспредельная и фанатичная любовь жителей всей шестой части суши под названием СССР. Пресса тех лет забита восторженными статьями о таланте Магомаева, можно смело утверждать, что его любили и почитали не меньше национального героя, покорившего Космос, Юрия Гагарина! И на

руках носили также истово, как Юрия Алексеевича, и цветами засыпали на каждом выступлении. И так было не только в стране, но и за рубежом.

Можно найти интервью советского поэта Роберта Рождественского, в котором он вспоминал, что всегда, когда сам бывал на концертах Магомаева, то зал буквально заходился в громе аплодисментов, едва только ведущий начинал произносить имя певца! Вот это любовь, вот это уважение к истинному природному таланту. Между тем, сам Рождественский признавал, что стал популярным во многом благодаря Муслиму: ведь тот исполнял песни на стихи поэта. А среди этих песен — ставшие хорошо известными и любимыми как патриотические «Вечная слава героям», «Мы для песни рождены», «За того парня», «Баллада о маленьком человеке», «Торжественная», «С рождения до вечности», так и лирические «Ноктюрн», «Свадьба», «Позови меня», «Благодарю тебя», «Загадай желание», «История любви», «Приснилось мне» и др.

Вообще это была чудесная традиция: приобщение к Чистому слову, к Высокому слогу. Благодаря музыкальным талантам, выпестованным советской системой, молодежь и старшее поколение считали своим долгом иметь в личной библиотеке томик стихов автора, на чьи произведения они слышат любимые песни. И круг приобщения к творчеству с каждым годом становился все шире, ведь все больше и больше людей по всему миру знакомились с культурой России, с многонациональной культурой СССР. И в этом патриотизме

Муслим Магомаев среди космонавтов
Звёздного городка. Справа – Юрий Гагарин

не было бахвальства: на сцену попадали самые лучшие, истинные творцы, в которых, как говорят, талант от Бога. Муслим Магомаев в этом ряду был одним из первых.

Рассказывая о своем сотрудничестве с разными поэтами и композиторами, Магомаев особо останавливался на Арно Бабаджаняне, которого безмерно уважал за его творческий подход к песне. Для справки укажем: Арно Арутюнович Бабаджанян (1921—1983) — советский армянский композитор, пианист, педагог; Народный артист СССР (1971); лауреат Сталинской премии третьей степени (1951). С этим блистательным композитором, работавшим в паре с поэтом Рождественским, Муслим Магомаев создал многие шедевры, запомнившиеся на десятилетия, навсегда врезавшиеся в память людям старшего поколения.

— Писал он с разными поэтами, но надолго соединился только с одним — Робертом Рождественским. Так и сложился наш триумвират. Мы стали работать втроем. Роберт писал быстро. Он устраивал Арно по всем статьям.

Как-то я принес Роберту мелодию. Я уже знал, что должно быть в моей песне «Рапсодия любви». Это романтическая история девочки, моей поклонницы, которая каждую пятницу приносила мне гвоздики. Я ее никогда не видел, да она и не пыталась со мной познакомиться. Просто приносила цветы к двери и быстро убегала. Включив воображение, можно было написать прекрасную песню.

О Р. Рождественском, которого Магомаев искренне называл «большим поэтом», артист говорил так:

> — Анализировать его поэзию — не мое дело, я не литературный критик. Скажу о своем ощущении этого огромного таланта. Роберт не был заказным поэтом — он верил в то, о чем писал, не пытаясь угодить сильным мира сего.

О другом легендарном дуэте, с которым долгое время работал Муслим Магометович, он отзывался не менее лестно. И это свидетельствует не только о том, что ему везло с талантливыми коллегами, но и широте благодарной души самого исполнителя, умеющего быть признательным. В это, как говорят в народе, *дорогого стоит...*

> — Много работал я и с Александрой Пахмутовой и Николаем Добронравовым: в моем репертуаре более двадцати их песен. Некоторые из них стали хитами, другие просто устойчиво популярны уже многие годы. Дуэт Пахмутова — Добронравов — это прежде всего душа. Красивая музыка, красивые слова... Их «Мелодию» с героем седой легенды, преданным Орфеем, слушатель принял сердцем. Мы записывали их песни и знали заранее, что это не для улицы, не для застолий.

Толпа, влюбленная в своего кумира, в буквальном смысле носила его на руках, даже вместе с машиной. Подобные

случаи хоть и весьма редки, но имели место в истории взаимоотношений публики и творца. К примеру, в начале XX века взошла звезда русской актрисы немого кино Веры Холодной; ее многочисленные поклонники — юнцы и мужи солидные — на руках носили машину с красавицей актрисой.

Вот из-за таких одержимых кумиры часто стараются уйти в тень. Не был исключением и наш герой. Тысячи неудержимых фанаток ездили за своим кумиром по стране, проникали в гостиницы, в которых останавливался Магомаев, оставляя там слезные просьбы о мимолетном свидании для... зачатия их будущего ребенка, «как две капли воды похожего на певца». И таких посланий было великое множество; сотрудницы гостиниц через годы вспоминали, что в дни приезда к ним Муслима Магометовича, мешками выносили записки от поклонниц.

Маэстро готов был терпеть почти любые нелепости поклонников, понимая, что без них его дар — ничто, ведь именно почитатели и есть те, для кого человек талантливый творит по замыслу свыше.

— Не верьте тем артистам, которые говорят: «Мне все равно, любят меня или нет, есть у меня поклонники или нет». Врут они! Поклонники — это то, без чего артист не может обойтись, это его вдохновляет, это его поднимает. Каждому артисту приятно, когда ему аплодируют, когда его поджидают у входа, просят автографы. Артист творит для зрителей, без них, без их признания его работа теряет смысл.

«...Поклонники — это то, без чего артист не может обойтись, это его вдохновляет, это его поднимает...»

Журналы с фото Магомаева на обложке, газеты с интервью с ним, сувениры с изображением певца и прочая атрибутика в считанные минуты сметалась с прилавков киосков Союзпечати. И даже по завершении концерта предпринимались особые меры предосторожности, чтобы экзальтированная публика, страстно аплодирующая на протяжении вечера, не разорвала кумира на «тысячу маленьких медвежат». Известно о случаях, когда прямо в здания концертных залов, во дворцы спорта либо на стадионы, где проходили концерты, заезжала машина, чтобы как можно незаметнее забрать и вывезти кумира миллионов.

— Впервые петь так, на улицу, мне пришлось, когда я гастролировал в Одессе. После концерта я обычно удирал от поклонников через запасные, служебные и прочие незаметные входы-выходы. Вот и в тот раз — убежал, сижу в гостинице в своем номере, отдыхаю. Вдруг слышу — за окном шум, крики. Вышел на балкон, чтобы посмотреть, что происходит, вижу — внизу собралась огромная толпа. Увидели меня, стали аплодировать. Прямо с балкона я спел для них «Вернись в Сорренто».

Нечто подобное повторилось в Молдавии, когда я выступал в Бендерах. После концерта мы сидели в артистической комнате, окно которой выходило на улицу. Под ним собрались слушатели, не желавшие расходиться. Моему концертмейстеру Чингизу Сады-

хову пришлось взять аккордеон, и я начал петь в открытое окно. Состоялся концерт после концерта...

Этот страстный роман певца с публикой продолжался все годы его концертной деятельности. Можно даже констатировать: публика ни разу не изменила своему кумиру, это кумир изменил своей публике, когда прекратил концертную деятельность. Впрочем, об этом грустном факте мы поговорим позже.

Глава 22

«ТЫ — МОЯ МЕЛОДИЯ, Я — ТВОЙ ПРЕДАННЫЙ ОРФЕЙ»

Одной из самых любимых, самых знаковых песен, своеобразной визитной карточкой певца Муслима Магомаева стала песня «Ты — моя мелодия», созданная в тандеме А.Н. Пахмутова и Н.Н. Добронравов. Ведь и родилась она в самый счастливый переломный момент, когда молодой исполнитель познакомился с женщиной всей своей жизни — с Тамарой Синявской.

— Песня «Мелодия» появилась в то время, когда я переживал романтическую пору своей жизни... Тамара в то время находилась в Италии на стажировке в «Ла Скала», но мы почти каждый день разговаривали с ней по телефону. Я жил тогда в гостинице «Россия», поскольку своего дома в Москве у меня не было. Александра Николаевна и Николай Николаевич пришли в один из дней ко мне в номер и показали новую песню. Она мне сразу понравилась. Обыч-

За роялем с Александрой Пахмутовой

но при первом знакомстве с новой песней я просил композиторов тут что-нибудь изменить, там что-нибудь сделать по-иному, спорил, доказывал. А тут принял песню с самого начала. Буквально через несколько дней мы ее записали, и я смог прокрутить ее Тамаре по телефону.

Спел я и другую песню Пахмутовой — «Нам не жить друг без друга», но песня «не пошла». Потом ее исполнил Лев Лещенко — уже в другой манере, в более свободной аранжировке. И песня получилась. То есть я хочу сказать, что у каждой песни должен быть свой адрес. Порой и прекрасная песня может тут же стать лишь прекрасным мгновением. Сама по себе песня не всегда сразу принимается публикой: надо знать, как, где и когда ее показать, как ее «одеть», в каком темпе, с какой интонацией...

В характере Муслима присутствовала одна весьма яркая черта: индивидуальность на грани бунтарства. Как человек с восточной кровью, он был горяч и непреклонен. Правда, это не выпячивалось и окупалось бесконечной добротой и душевной щедростью. Но идти против воли внутреннего голоса он не желал никогда, особенно если это касалось творчества.

— Я не могу себя насиловать, делать то, к чему душа не лежит. Бывало, приходили авторы, показывали песни. Я отказывался, хотя вроде бы материал для моего голоса. Почему? А потому, что это не мое.

«Предложите, — говорил, — Эдуарду Хилю». Случалось, что какие-то напетые мной песни потом «переходили» ко Льву Лещенко. Это нормально. Мы ведь разные. И песни разные.

А еще он подчеркивал, что не приемлет халтуру и серость.

— Я не раз говорил о своем недостатке — о несдержанности. Я вздрагиваю от каждой фальшивой ноты, «кикс» духовиков воспринимаю как зубную боль. Больше всего боюсь валторны, капризнейшего, в смысле абсолютного тона, инструмента. Жду, замирая, когда она сфальшивит, мучаюсь физически. Если же знакомые певец или певица играют в страсть, а сердце спит, я не могу прийти за кулисы и дружески-снисходительно похлопать по плечу или, поцеловав ручку диве, сказать: «Превосходно!» А это частенько случается за кулисами Большого театра, на этой ярмарке тщеславия, когда с придыханием, лицемерно скажут: «Ты — гений, старик!» Расцелуют, а потом отойдут и… ругнутся.

Или вот такое пространное признание о себе, своем характере, сделанное Магомаевым:

— Возвращаюсь к рассказу об особенностях своего характера. Я не люблю слово «надо», ни в чем не

люблю запретов. Например, я отдал опере несколько лет, побывал в разных городах Советского Союза, где были оперные театры. А потом понял, что это не мое. Опера требует железных рамок, а я рамки нигде не люблю. Оперная партия идет максимум минут 40. Кончался спектакль, а мне только-только начинает хотеться петь. Поэтому я больше любил выступать с сольными концертами. Тогда и решил — лучше буду петь на эстраде, там я буду хозяином, во всяком случае, себе. Из-за отсутствия должного терпения я не могу преподавать, что-то объяснять. Кроме того, я не могу слышать фальшивое пение. Так что учитель из меня неважный, в отличие от Тамары Ильиничны, которая прекрасный педагог, имеет своих учеников. После трех лет преподавания в РАТИ-ГИ-ТИСе ей предложили там возглавить кафедру на вокальном отделении. Впрочем, однажды я подготовил знакомого студента, которого отчислили из консерватории. Мы занимались с ним месяц, после чего я и понял, что преподавать мне нельзя, — я могу кричать, если меня не понимают, а это неправильно. Кстати, этого студента потом восстановили.

Я вспыльчив. Могу так разозлиться, аж дыхание перехватывает. Но быстро остываю. И тогда мне самому кажется странным мой гнев. Чего это я так?! Злая память — один из смертных грехов, но, слава Богу, я им не грешу. Человек живет среди себе подобных. И это обычное дело, когда ему кто-то пор-

Лауреаты Сопотского фестиваля:
Кончита Баотиста, Муслим Магомаев,
Иорданка Христова

тит настроение. Бывает и больше того — предает. Бывшие друзья иногда становятся врагами. Ты делаешь добро, а получаешь... Это обычно или необычно? Раньше я бы сказал: «Да как можно?!» Теперь, с высоты прожитых лет, говорю: «Да, это обычно: не сделаешь добра, не получишь и зла».

Проходит время, и ты понимаешь, что друзей иной раз выбирал совсем не тех, кого надо было бы выбрать, что и доверял ты совсем не тем, кому надо было доверять. Самые близкие друзья вдруг оказывались самыми далекими. К великому сожалению. Получалось и наоборот — кого-то считал просто хорошим парнем, которому ты ничего особенного и не сделал, а он относится к тебе лучше других.

И все-таки это не значит, что надо скупиться на добро. Просто надо приучить себя к тому, что поступать по-доброму важно и для самого себя, для собственной души. Добро, говорят, рассеивается. Зло бумерангом возвращается к источнику. Короче, делаешь добро — делай. Отзовется — благо. Не отзовется — так тому и быть...

Магомаев такой разный: вспыльчивый и добрый, веселый и саркастичный, щедрый и придирчивый. Тем не менее этот человек обладал качеством ценить таланты других людей, — редкая черта среди сценичных небожителей. Он успешно сработался с разными талантливыми композиторами и поэтами-песенниками. И особо в этом ряду стоят Пахмуто-

ва и Добронравов, — люди, подарившие XX веку самые прекрасные песенные произведения. Благодарный исполнитель высоко ценил сложившееся сотрудничество.

— Сколько за эти годы написано Александрой Николаевной! И не только песен! Пахмутова сама пишет партитуры (это ее огромный плюс), сама садится за рояль... Эта маленькая женщина — талантище! Есть у нее и еще один удивительный дар — умение слышать время, творческая способность откликаться на новое, оставаясь самой собой. В свое время она написала немало песен о комсомольцах, которых искренне любила. Тех, настоящих. И этой любви она не стыдится. Все это было, это наша история, это совпадение темперамента композитора и тогдашнего романтизма молодежи. И не важно, что от иных великих строек века осталось лишь эхо. Но ведь были же хорошие ребята и на Братской ГЭС, и в Усть-Илиме. Были и орлята, которые учились летать. Были и мужественные парни-работяги, которые вели «непростые линии» ЛЭП в полтыщи вольт...

Вот ведь действительно кем-то сказано: историю страны будут изучать по песням Пахмутовой. А еще в самом деле важно, и это подмечено Мамомаевым: *совпадение темперамента композитора и* — Времени, потребностей общества, тенденций истории, желаний публики и возможностей исполнителя.

Александра Николаевна Пахмутова (родилась 9 ноября 1929 г.) — советский и российский композитор, автор более 400 песен. Народная артистка СССР (1984). Герой Социалистического Труда (1990). Лауреат двух Государственных премий СССР (1975, 1982). С раннего детства проявлялся ее талант к музыке, многие окружающие подмечали ее исключительную музыкальную одарённостью. Первые мелодии девочка написала в трёхлетнем возрасте, а в возрасте пяти лет уже сочинила пьесу для фортепиано «Петухи поют». В ранние годы творческого становления Пахмутова стала одним из самых популярных и востребованных композиторов СССР, особенно как композитор-песенник.

С автором большинства текстов её песен — Н.Н. Добронравовым — ее связывают тесные творческие и семейные узы.

Николай Николаевич Добронравов (родился 22 ноября 1928) — выдающийся советский и российский поэт-песенник. Лауреат Государственной премии СССР (1982). Энциклопедии пишут о нем следующее[31].

«Песни Добронравова стали широко популярны в СССР и за его пределами. Во многом огромный успех Добронравова обусловлен тем, что самые известные песни написаны в соавторстве с композитором Александрой Пахмутовой — женой поэта. Также, на протяжении десятилетий его постоянным соавтором являлся писатель и поэт-песенник Сергей Гребенников.

Кроме того, музыку на стихи Николая Добронравова писали такие композиторы как Микаэл Таривердиев, Арно Бабаджа-

Дружеская беседа с Николаем Добронравовым

нян, Полад Бюль-Бюль Оглы, Сигизмунд Кац, Евгений Мартынов, Аркадий Островский, Муслим Магомаев, Михаил Чуев.

Песни исполняли: Большой детский хор под управлением В. Попова[3], Сергей Лемешев, Георг Отс, Анна Герман, Лев Барашков, Людмила Зыкина, Юрий Гуляев, Муслим Магомаев, Иосиф Кобзон, Майя Кристалинская, Лев Лещенко, София Ротару, Николай Басков, Вадим Мулерман, Нонна Мордюкова, Эдита Пьеха, Тамара Гвердцители, Александр Градский, Сергей Пенкин, Эдуард Хиль, Валентина Толкунова, Михаил Чуев, ансамбли «Песняры», «Пламя», «Самоцветы», Ян Осин, «Надежда», «Верасы», «Добры молодцы», «Сябры», группа Стаса Намина, Гражданская Оборона и другие.

Николай Добронравов — утончённый лирик и эстет. Выросший в детском доме во время войны, он донёс до читателя духовную атмосферу тяжёлых и голодных военных и ранних послевоенных лет. Оказавшись современником эпохальных событий — космической эры, Олимпиады-80, Добронравов талантливо воспел их. Добронравов романтизировал и героизировал профессии и трудовые достижения космонавтов, геологов, энергетиков, хоккеистов. В 1990-е годы в его творчестве стала прослеживаться религиозная линия».

Чтобы освежить память, приведем лишь некоторые, самые известные песни, написанные, возможно, в самом счастливом творческом тандеме.

«Беловежская пуща», «Белоруссия», «Гайдар шагает впереди», «Главное, ребята, сердцем не стареть!», «До свиданья, Москва, до свиданья» (прощальная песня Олимпиады-80), «Я не могу иначе», «Знаете, каким он парнем был», «И вновь

продолжается бой», «Как молоды мы были», «Команда молодости нашей», «Мелодия», «Нам не жить друг без друга», Нежность», «Обнимая небо», «Орлята учатся летать», «Птица счастья», «Трус не играет в хоккей», «Ты моя надежда, ты моя отрада» и др.

Семейному дуэту Пахмутова — Добронравов давно перевалило за полвека, но — удивительное дело — у них до сих пор глаза влюбленных. И Николай Николаевич до сих пор называет супругу ласково: Алечка.

«Какого-то особого рецепта семейного счастья у нас нет, — говорит Пахмутова. — Мы просто стараемся не принципиальничать и не придираться по мелочам.

А Николай Добронравов, говоря о своих чувствах к Алечке, всегда вспоминает слова Сент-Экзюпери: «Любить — это не смотреть друг на друга, а смотреть в одном направлении»[32].

Возможно именно этот пример безграничной нежности и преданности способствовал тому, что и Муслим наконец-то обрел свое семейное счастье. Ведь не зря же он под чутким руководством Пахмутовой и Добронравова исполнял знаковую песню, перевернувшую всю его жизнь:

Ты — моя мелодия,
Я — твой преданный Орфей...
Дни, что нами пройдены,
Помнят свет нежности твоей.

Всё, как дым, растаяло,
Голос твой теряется вдали...

Что тебя заставило
Забыть мелодию любви?

Ты — моё сомнение,
Тайна долгого пути...
Сквозь дожди осенние
Слышу я горькое «прости».

Зорь прощальных зарево.
Голос твой теряется вдали...
Что тебя заставило
Предать мелодию любви?

Ты — моя мелодия,
Я — твой преданный Орфей...
Дни, что нами пройдены,
Помнят свет нежности твоей.

Стань моей Вселенною,
Смолкнувшие струны оживи.
Сердцу вдохновенному
Верни мелодию любви!

«Ты — моя мелодия,
Я — твой преданный Орфей...»

Глава 23

ЛЮБОВЬ НЕЧАЯННО НАГРЯНЕТ, КОГДА ЕЕ СОВСЕМ НЕ ЖДЕШЬ...

Эта пара познакомились в солнечном Баку в 1972 году, на декаде русского искусства в Азербайджане, где артистка Большого театра Тамара Ильинична была гостьей. А ведь певица не хотела приезжать в Баку!

Ранее выходившая на Украине газета «Бульвар Гордона», специализирующаяся на событиях из мира шоу-бизнеса, интервью и статьях о звездах искусства, эстрады и политики, как-то напечатала большое интервью, в котором Д. Гордон беседовал с Тамарой Ильиничной Синявской. Во время интервью возникало много интересных моментов, собеседница впервые за много лет открыто говорила о жизни, творчестве и любви (стоит сказать, что интервью состоялось через три года после ухода из жизни ее любимого, и все эти годы великая певица жила затворницей). Невозможно удержаться, чтобы не привести отрывки из указанного материала[33], раскрывающего тайны знакомства и отношений великолепной пары.

«— При первой встрече Муслим Магометович вам понравился?

— Ну что значит «понравился»? — я просто по достоинству его оценила. Сразу все поняла, потому что было это в ВТО 2 января 65-го — я тогда прослужила в Большом всего полгода. Он, по его словам, прилетел в Москву и с самолета сразу на сцену отправился, а я стояла в кулисах, потом тоже выступала. Муслим спросил: «Неужели вы в Большом театре работаете?». — «Да, — я ответила, — а что, не похоже?». — «Нет — для Большого вы слишком скромная».

— Вас тогда голос его очаровал?

— Голос понравился еще до того, как я с ним самим познакомилась.

— Вы уже его слышали?

— Конечно, просто не знала, кому он принадлежит.

— Что в его вокале было особенного?

— Очень красивый тембр, который вот из этого места (кладет руку на сердце) шел.

— Главное...

— Причем он не просто пел. Муслим не звучкодуй, как говорят вокалисты, он не звуковедением занимался, а музыку пел и текст — это я запомнила хорошо.

— Плюс в отличие от многих солистов оперы умел исполнять какие-то вещи тихо, правда?

— Ну, это когда уже стал, так сказать, интересоваться эстрадой. В первые годы Муслим пел (у меня же записи есть), как настоящий оперный певец, — с нюансами, но не с такими, которые появились потом. Я спрашивала: «Не трудно

было к другой манере исполнения перейти?». Он пояснял: «Это называется субтон», то есть все остается, но исполняется как бы под сурдиночку. Такой вокал требует большого мастерства и для оперного артиста чреват потерей голоса — это называется «снять с дыхания», и вопрос в том, как потом вернуться? Очень сложно, а как Муслим этим управлял, я потом только поняла — просто ему дано было то, чего не было у других.

— Вы помните свои ощущения от третьей встречи, когда познакомились по-настоящему?

— Конечно — она нас на 34 года связала. С тех пор — все!

— Пропали?

— Не то что пропала, но все стало ясно. Там не надо было ничего расшифровывать: ходили-ходили по этой земле, и пришли.

— По слухам, после официального знакомства Муслим Магометович написал вам в ресторане игривую записку: «Вы очень хорошая девочка и очень мне нравитесь, я хочу с вами дружить»...

— В каких анналах вы это нашли?

— Неважно, но да или нет?

— Да, но это было с улыбкой — «дружить». Мне почти 30 лет, а он: «Вы очень харошая девачка» (смеется).

— Девачка?

— Да, нарочно так написал на салфетке, которую я до сих пор храню.

— Как Муслим Магометович ухаживал?

— Красиво. Русские мужчины так не умеют...

Тамара Синявская

— Вы уверены?

— Да, к сожалению. Они это очень шумно делают — понимаете?

— И временно...

— Не знаю, но Муслим ухаживал всю жизнь.

— Все, кто его знали, отмечали, что это был удивительно щедрый и благородный человек...

— И щедрый, и интеллигентный, и элегантный, поэтому и ухаживал соответственно. Благородство — оно же в крови, ему научиться нельзя.

— Ухаживания его воплотились в какие-то сюрпризы, подарки, трогательные слова или серенады, может быть, под балконом?

— Нет-нет, последнее для меня чересчур. Если бы я не была певицей и такой человек запел бы мне под балконом, конечно, была бы уже в горизонтальном положении вследствие обморока, а так для меня это пошлость немножко...

— Что из каких-то трогательных моментов запомнилось вам особенно?

— То, как он прилетел ко второму действию «Царской невесты» в Казань (к началу не успел) и мне вынесли на сцену 153 гвоздики. Охапка была такая, что я удержать не могла. Сразу же посмотрела в «царскую ложу»: он там стоял в глубине и тихонько хлопал — на авансцену, так сказать, не выходил, но все в зале сразу проследили за моим взглядом, да еще и осветители догадались направить туда луч. На этом представление остановилось.

— Порой, таким образом, он «срывал» вам спектакли?

— Да, и в Большом театре тоже, причем неоднократно».

Напомним, что разговор этот состоялся через три года после того, как не стало великого Муслима Магометовича. А ведь сцена знакомства этих двух талантливых персон давно приобрела, скажем так, классический оттенок благодаря СМИ. К примеру, вот как представлен эпизод знакомства в одном из азербайджанских СМИ[34].

«Тамара Синявская: «Я безумно не хотела ехать. Но мне сказали, что «надо укрепить бригаду» в Баку. «Я заболела», — отнекивалась я. «Да вы там отогреетесь», — был ответ. Приехала — тепло, фрукты на каждом углу, лук в связках, горы арбузов, дынь, огромные гранаты — тогда это для нас было в диковинку. Так красиво! Я просто влюбилась в город, филармонию, носящей имя великого азербайджанского композитора Муслима Магомаева, деда Муслима, нас подвели друг к другу Роберт Рождественский с супругой.

Он мне протянул руку и очень застенчиво так, потупив взор, сказал: «Муслим». Она улыбнулась: «И вы еще представляетесь? Вас ведь знает весь Союз»».

А вот как описал первые мгновения знаковой встречи сам «виновник»:

> — С Тамарой Синявской мы познакомились в Бакинской филармонии, носящей имя моего деда. Возможно, в этом был какой-то знак: филармония — как бы наша семейная обитель, в которой, хочется верить, живет дух предков и благословляет нас.

Тогда в Баку проходили Дни искусства России. Как я уже говорил, Гейдар Алиевич Алиев подобным событиям умел придавать значение праздника. Силу искусства поддерживало восточное гостеприимство, гостеприимство в алиевском стиле. На очередном концерте в филармонии меня подозвал Роберт Рождественский и представил миловидной молодой женщине. Я назвал себя: «Муслим...» Она улыбнулась: «И вы еще представляетесь? Вас ведь знает весь Союз».

Казалось бы, обычное светское знакомство, но у меня сразу возникло приятное ощущение уюта и симпатии — никакой натянутости, как обычно бывает на такого рода мероприятиях с их дежурными полупоклонами, полуулыбками... Тамара мне понравилась сразу. Мне показалось, что и я ей... Честно говоря, при той встрече я Тамару не узнал. До этого только раз видел ее по телевизору в 1970 году, когда шла трансляция прослушиваний Международного конкурса имени Чайковского. Тогда Тамара Синявская разделила первую премию с Еленой Образцовой. Помню, как, услышав голос Тамары, я воскликнул: «Что за меццо-сопрано! Глубокое, красивое!..»

И вот теперь передо мной стояла милая дама, которую я видел впервые: то ли телевидение так меняет внешность, то ли Тамара так изменилась за эти два года...

Муслим Магомаев за работой над портретом
Джузеппе Верди

А через несколько дней Алиев распорядился на-грузить яствами паром, курсировавший между Баку и Нефтяными Камнями. Ему хотелось показать гос-тям этот чудо-город на сваях, с домами, магазина-ми, кинотеатрами... Когда паром уже отчалил, Гей-дар Алиевич своим зорким взглядом обнаружил мое отсутствие. Помощники развели руками: «Магомаев почему-то не пришел... И солистки Большого театра Тамары Синявской почему-то нет...»

Оказалось, что два голубка, очарованные друг другом, от-правились на просмотр только что отснятого по заказу Цен-трального телевидения документального фильма «Поет Мус-лим Магомаев». А так как Муслим Магометович его еще не видел, и должен был просмотреть новую работу, то пригла-сил с собой за компанию и новую подругу. Тамара согласи-лась. Так молодые исполнители оказались в Клубе моряков (в том, где Муслим в юные годы участвовал в художествен-ной самодеятельности).

А она, уже влюбленная в колоритный город, очаровыва-лась и колоритным спутником, который, видя неподдельный интерес, водил ее по самым интересным местам.

— Конечно, я показывал Тамаре разный Баку, но бакинский колорит можно было прочувствовать только там, в этих уголках вроде бы невинного чае-пития, где и мухи, и не очень свежие скатерти, и фар-тук чайханщика не отличается опрятностью. Тамара

сначала удивилась: куда это я ее, московскую прима-донну, привел? Но так она думала, пока не увидела угощение: гастрономическое пиршество, парад вкусностей. Чайхана только называлась чайханой — это официально в ней все было устроено как бы для чаепития. А неофициально там готовили другие блюда.

С тех пор они практически не разлучались. Расстались только в тот год, когда Тамара уехала в Италию на стажировку, а вернувшись, в 1974 году вышла за него замуж. Вот уж воистину: *Любовь нечаянно нагрянет...*

Глава 24

«ЛЮБОВНЫЙ ТРЕУГОЛЬНИК ВСЕГДА МУЧИТЕЛЕН»

После бакинской встречи знакомство Муслима и Тамары продолжилось в Москве, хотя Тамара Синявская была замужем, и вполне довольна своей судьбой. Муслим стал бывать у них дома, но это лишь укрепило зарождавшиеся отношения.

— Вскоре мы поняли, что не можем не видеться. Случалось, и ссорились — думаю, именно из-за такого двусмысленного положения Тамары: любовный треугольник всегда мучителен.

В уже упоминаемом интервью Дмитрия Гордона с Тамарой Синявской шел разговор и об этом тревожном моменте: любовном треугольнике.

«— Когда с Муслимом Магометовичем познакомились, вы были замужем...

— Когда в третий раз познакомились? Да.

Семейный дуэт

— Для вас это была, похоже, трагедия, драма? Вас эта раздвоенность мучила или предыдущий брак был обречен уже изначально?

— Ну что значит обречен? Я человек порядочный и не могла бы, чувствуя обреченность, выходить замуж. Мой супруг очень хорошим был, замечательным...

— Вы любили его?

— Ну, если подвести итоги, то, наверное, нет — просто он окружил меня заботой, теплом и любовью, когда (так уж сложилось) умирала моя мама... Когда умерла... Просто оказался рядом, подставил плечо.

— Вы испытывали к нему благодарность?

— Она до сих пор присутствует, между прочим, — мало того, и Муслим знал об этом и признавал, что так и должно быть.

— Ваш первый муж жив?

— Да.

— А сейчас вы общаетесь?

— Нет, ни разу с тех пор не виделись, но когда случилась беда — не стало Муслима, он прислал мне на мобильный sms и потом подруге моей, с которой общается, передал: «Готов прийти, знаю, что смогу Тамаре помочь», потому что у него был опыт. Она ответила: «Ты ее лучше сейчас не трогай» — вот и все.

— Кто он по профессии?

— Был артистом балета, а потом, по моему настоянию...

— ...стал певцом?

— Нет, ну что вы! — никогда такой глупости бы не сделала. Когда уезжала учиться в Италию, сказала ему: «Ты,

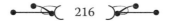

пожалуйста, на юридический факультет поступай», и он стал юристом. ...во мне шла большая борьба, потому что к первому супругу я очень хорошо относилась — и Муслим, кстати, тоже. Он вхож был в наш дом, мы дружили втроем, а потом...»

В другом интервью, в другой раз Тамара Синявская признавалась:

— Муслим — порядочный человек, и для него мой брак был серьезным препятствием. И мне, конечно, приходилось вести себя так, чтобы не обидеть ни того ни другого. Очень мучилась, конечно. У меня с мужем были прекрасные отношения. Но тут... «Любовь нечаянно нагрянет!» Наверное, встреча наша была предначертана.

— Еще до отъезда Тамары в Италию я стал завсегдатаем Большого театра: прослушал все спектакли с ее участием, дарил, без всякого преувеличения, самые большие, самые красивые букеты...

И еще тогда же, в начальную пору их отношений, он сказал Тамаре, что обязательно будет посещать все ее премьеры, сделав это традицией.

Стажировка в Италии явилась своеобразной проверкой; это как с костром чувств, который разлука любо раздует, либо затушит.

— Стажировка закончилась, Тамара вернулась в Москву, домой. В честь ее возвращения я дал концерт во Дворце съездов, на который она не смогла прийти. Видимо, все шло к тому, что нам надо расстаться. Александра Пахмутова и Николай Добро-

нравов, почувствовав, что в наших с Тамарой отношениях назревает разрыв, написали для нее песню «Прощай, любимый». Но прощания не получилось... Мы оказались вместе... А песни «Мелодия» и «Прощай, любимый» стали нам особенно памятны.

...Вспоминает Тамара Синявская:

— Был случай, когда Муслим, возвращаясь с какой-то поездки, завернул ко мне на гастроли в Казань. Я пела Любашу в «Царской невесте», и в антракте, когда я вышла на поклон, мне поднесли огромный букет — меня за ним не было видно. Там было сто пятьдесят четыре гвоздики! Представляете, что это за букет? Весь зал ахнул. И, конечно, когда он появился в ложе, зрителям было не до оперы. Весь зал шумел. Когда я, например, своим подругам рассказывала, что Муслим мне присылал цветы в Италию, они сидели и плакали. Потому что у нас, в лучшем случае, дарят цветы до женитьбы, а после, ну если кто, так сказать, хорошо воспитан, из интеллигентных семей, может быть, к празднику 8 марта. А так просто принести цветы для жены — это довольно редкое явление. А ведь это праздник, когда чуть-чуть, на сантиметр, но ты поднимаешься над землей. И вроде у тебя сегодня что-то необычное. Это очень хорошо не только для женщины, это очень хорошо для мужчины. Мужчина еще больше становится мужчиной, когда он дарит цветы женщине.

Муслим и Тамара в гостях у дочери Марио Ланца
и ее супруга в США

Глава 25

ТАМАРА СИНЯВСКАЯ — СИМВОЛ СОВРЕМЕННОЙ РУССКОЙ ОПЕРЫ

Пожалуй, настала пора рассказать подробнее о той, кого кумир миллионов сердец в буквальном смысле засыпал цветами. Как-то у нее спросили: «Зачастую москвичам сложно выдерживать конкуренцию с провинциалами, которые прокладывают, даже прорубают себе дорогу локтями. Тяжело было вам удержаться в Большом театре?» На что она, коренная москвичка, ответила:

— Я даже не понимаю, о чем вы говорите, потому что вообще на эту тему не размышляла. Я родилась, открыла рот, запела...

Тамара Ильинична Синявская родилась 6 июля 1943 г. в Москву. Советская и российская оперная певица (меццо-сопрано), педагог; Народная артистка СССР (1982); лауреат премии Ленинского комсомола (1980). Одна из самых любимых и узнаваемых оперных певиц, о которой сухие строки энциклопедии свидетельствуют[35]:

«Заниматься пением начала в Ансамбле песни и пляски Московского городского Дворца пионеров под руководством В. Локтева.

В 1964 году окончила Музыкальное училище при Московской консерватории имени П.И. Чайковского, в 1970 году — ГИТИС по классу пения у Д.Б. Белявской.

С 1964 по 2003 год — солистка Большого театра. Впервые на сцену вышла в роли Пажа в опере «Риголетто» Д. Верди.

В 1973—1974 гг. стажировалась в театре «Ла Скала» (Милан).

С 2005 года — заведующая вокальной кафедры в ГИТИСе, профессор.

Депутат ВС СССР 11 созыва с 1984 года.

Вдова народного артиста СССР Муслима Магомаева, с которым познакомилась 2 октября 1972 года в Баку, поженились 23 ноября 1974 года в Москве.

В 1972 году принимала участие в спектакле Московского государственного академического камерного музыкального театра под руководством Б.А. Покровского «Не только любовь» Р.К. Щедрина (партия Варвары Васильевны). Много выступает за рубежом. Участница музыкального фестиваля «Варненское лето» (Болгария).

Выступала в спектаклях оперных театров Франции, Испании, Италии, Бельгии, США, Австралии и других стран мира. Гастролировала с концертами в Японии и Южной Корее. Некоторые партии из обширного репертуара Синявской впервые были исполнены за рубежом: Лель в «Снегурочке» Н.А. Римского-Корсакова (Париж, концертное исполнение); Азу-

чена («Трубадур») и Ульрика («Бал-маскарад») в операх Дж. Верди, а также Кармен — в Турции. В Германии и во Франции с большим успехом пела произведения Р. Вагнера, в Венской государственной опере была участницей постановки оперы «Война и мир» С.С. Прокофьева (партия Ахросимовой).

Ведет обширную концертную деятельность, с сольными концертами выступала в крупнейших концертных залах России и за рубежом, в том числе в Большом зале Московской консерватории, Концертном зале имени П.И. Чайковского, Консертгебау (Амстердам). В концертном репертуаре певицы сложнейшие произведения С.С. Прокофьева, П.И. Чайковского, «Испанский цикл» М. де Фалья и других композиторов, оперные арии, романсы, произведения старых мастеров в сопровождении органа. Интересно выступала в жанре вокального дуэта (с мужем Муслимом Магомаевым). Плодотворно сотрудничала с Е.Ф. Светлановым, выступала со многими выдающимися дирижёрами, среди которых Риккардо Шайи и Валерий Гергиев».

Известный телеведущий и музыковед Святослав Бэлза, назвавший нашу героиню «царицей Тамарой», очень тепло говорил о таланте и уникальном голосе примадонны:

— Коренная москвичка, она с детства была наделена особой грацией и рано почувствовала призвание к сцене. Ее творческий путь начался в шестилетнем возрасте, когда девочку приняли в танцевальную (!) группу Ансамбля песни и пляски Московского городского Дворца пионеров, которым руководил Владимир Локтев. Позже Тамара Синявская перешла в хор этого ансамбля, окончила Музыкальное училище

Святослав Бэлза и писательница Ольга Грейгъ.
Фото 2013 г.

при Московской консерватории, а затем ГИТИС по классу пения. Еще будучи студенткой,- нечастый случай, -она обратила на себя внимание и была приглашена в Большой театр, стала солисткой. Громкая известность пришла к певице после впечатляющих побед на международных конкурсах вокалистов в Болгарии, Бельгии и на IV Международном конкурсе им. Чайковского (весомость этой золотой медали намного увеличивается, если вспомнить, что в жюри тогда входили Мария Каллас и Тито Гобби). Для постижения тайн бельканто много дала молодой артистке стажировка в миланском театре «Ла Скала». Редкий по красоте голос — меццо-сопрано с возможностями контральто — позволил Тамаре Синявской блистать во многих партиях русского и зарубежного оперного репертуара: Ратмир и Ваня, Ольга и Марина Мнишек, Любаша и Марфа, Лаура и Кончаковна, Кармен и Азучена... Большую популярность принесла певице также широкая концертная деятельность, в рамках которой она исполняет не только оперные арии и классические романсы, но и русские народные песни, нередко выступая вместе со своим знаменитым мужем Муслимом Магомаевым.

Хочется привести и слова искусствоведа Святослава Бэлзы о М.М. Магомаеве: «Он ворвался в нашу жизнь подобно яркой комете». Стоит вспомнить, что таких, как Святослав Игоревич, Муслим Магометович называл «человеком поколения гигантов», — имея в виду их вклад в культуру страны. И это сравнение видится мне лично единственно правильным, но, увы, гиганты вымирают, а их время останавливается... Дадим же слово Магомаеву:

— Есть люди, которые (как студент перед экзаменом) могут запомнить много — но на короткое время. Слава Бэлза запоминает на всю жизнь. И его мозг хранит сведения про все на свете, а не только про его любимые музыку и литературу. Он может не разбираться в тонкостях алгебры, но, просмотрев учебник, наверняка завтра сможет читать лекцию по этой «премудрой» дисциплине.

Почему Бэлзу приглашают на различные церемонии, фестивали, конкурсы, просят вести и комментировать оперные спектакли, симфонические циклы? Да, импозантная внешность, рост, усы, бабочка; да, природное джентльменство. Но ведь видных ведущих много, знающих — единицы. Даже если какой-то ловко актерствующий ведущий может выучить назубок текст и при случае козырнуть несколькими стихотворными строками или особой фразой, пыль пустить в глаза псевдоэрудицией, покрасоваться, то не всегда такому ловкачу удается удержаться на уровне высокой культуры, истинной интеллигентности.

Отсутствие общей культуры можно скрыть — к примеру, не оговориться, не запутаться в трудном слове или ударении, — а вот внутренней — нельзя. И разница между этими вещами очевидна. Человек внутренней культуры, как всякий живой человек, может ошибаться, но он, в отличие от человека просто образованного, знает, что ошибся. Более того, знает, как ошибку исправить. И тут же, не стыдясь этого, исправляет.

...я не собираюсь подробно оценивать современную эстраду. Мне непросто говорить о ней. Сейчас она открыта всем ветрам и поветриям: кто-то еще поет красиво, кто-то поет роковым голосом, кто-то просто хрипит. В нее занесло много случайных людей, заполонило дилетантство. Когда-то мы мечтали, чтобы наша жизнь изменилась, чтобы мы перестали кланяться чиновникам, указывавшим нам, что исполнять, чтобы мы могли петь то, что нам хотелось, а не то, что утверждали партийные комиссии. И вот пришла свобода — можешь петь что угодно. Да, эстрада сейчас цветет. Однако цветут, как известно, не только розы и прочие благородные растения, но и крапива, растущая на задворках.

Тамара Синявская и Муслим Магомаев со своим любимым пуделем Чарликом

Глава 26

«Я — ГЯЛИН, НЕВЕСТКА ВСЕГО АЗЕРБАЙДЖАНА!»

Тамара Синявская, заняв главное место в сердце азербайджанского соловья, став его возлюбленной, а затем и супругой, поняла, какая отныне роль отведена ей:

— Я коренная москвичка, но меня приняли в Азербайджане, как гялин. Гялин — это невестка всего Азербайджана. Поскольку Муслим — сын всего Азербайджана, поэтому я — невестка всего Азербайджана.

На то, чтобы это свершилось, понадобилось два года отношений.

— Романтика ухаживания продолжалась, а вопросы оставались: что с нами будет и как? Мы всё не решались сделать необходимый шаг. Не потому, что не верили в свои чувства, а словно ждали какого-то случая. Так бывает в жизни — кто-то или что-то должно подтолкнуть. Первый шаг сделала Тамара — она развелась с мужем. А другой шаг...

Сидели мы как-то в моем номере в гостинице «Россия». Зашел «на огонек» наш друг, знаменитый художник Таир Салахов. Накрыли стол, начался обычный в таких случаях разговор... И вдруг Таир сказал нам решительно:

— Ну что вы ходите-бродите, время тянете? Чего еще испытывать?.. Давайте-ка ваши паспорта. У меня в Союзе художников помощник есть шустрый, он все устроит. — Гипноз Таира был таков, что мы подчинились, молча переглянулись и отдали ему наши паспорта.

Все устроилось как нельзя лучше. Устраивать же приходилось потому, что в те времена в загсе требовалось ждать три месяца после подачи заявления, прежде чем вас распишут. А для меня главным в той ситуации было другое — чтобы все произошло без шумихи, без помпы, чтобы народ не знал. И еще, чтобы в загсе не было этих дежурных, скучных церемоний: речей-напутствий, заигранной музыки, и чтобы безо всяких там «а теперь жених целует невесту... наденьте кольца... выпейте шампанского»...

В общем, весь наш свадебный ритуал совершился тихо и скромно. Вышли мы на улицу — и вдруг вижу то, чего я так хотел избежать: из морозного пара в нашу сторону качнулась толпа. Откуда столько людей собралось? Видимо, работники загса оповестили своих знакомых, что женится Магомаев. Как бы сказали теперь — произошла утечка информации...

Кстати, многие верили, что в судьбе этой пары главную роль сыграл первый секретарь ЦК Компартии Азербайджана Гейдар Алиевич Алиев, который, как и руководитель советской страны Леонид Ильич Брежнев, очень любил Магомаева. Когда возраст маэстро подходил к 30 годам, Гейдар Алиевич сказал: «Тебе жениться пора». Ну а тут и кандидатура появилась в лице Тамарочки.

Давал или нет советы насчет женитьбы первый секретарь ЦК Компартии Азербайджана, никто точно не знает, однако и Тамара Синявская признавала, что Муслим для него был, как сын.

«— Алиев добрым словом, мудрым советом помогал вам?

— Только своим присутствием в нашей жизни — мы никогда к нему особенно не обращались. Из-за этого он ценил, очень любил Муслима, который хлопотал перед ним только...

— ...за других...

— Всегда! «Гейдар Алиевич, мне нужно с вами поговорить!»... Тот сначала не понимал, в чем, собственно, дело, думал, когда эта фраза звучала, что у его названного сына проблемы, а потом оказывалось, что кому-то звание нужно пробить, кому-то квартиру, кому-то помочь с больницей. Вот по этим вопросам Муслим его, можно сказать, напрягал, а для себя никогда ни у кого не просил: «А ну, давайте!». Он просто делал так головой (опускает ее) — и все»[36].

...Кто бы ни был тем реальным или мифическим Купидоном, но свадьба Магомаева и Синявской состоялась. Свадеб-

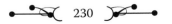

Тамара Синявская и Муслим Магомаев в гостях
у балтийских моряков, 1984 год

ный кортеж приехал к ресторану «Баку», который тогда размещался в московских Черемушках. И здесь, как возле загса, собралась толпа любопытных поклонников. Конечно, все эти люди знали, что не смогут попасть в зал, где шло торжество. Тем не менее, они готовы были часами стоять на морозе и ждать… чего? Возможно, чуда. И чудо произошло: счастливый жених открыл окна ресторана и стал петь этим преданным слушателям… Правда, стихийный концерт не прошел для него даром: в итоге Магомаев несколько месяцев промучился с бронхитом.

Вернувшись к пространному интервью Гордона с Тамарой Ильиничной, мы прочтем подробности и этого волнительного события, причем, как говорится, узнаем все из первых уст.

«— …а много дам у ресторана «Баку» собралось?

— Больше, чем на свадьбе гостей (смеется).

— Это правда, что Муслим Магометович 40 минут пел им из раскрытого настежь окна?

— Было дело.

— И что исполнял?

— Весь свой репертуар, который, естественно, о любви.

— Как к этому отнеслись гости?

— Ну, его так любили, что, даже если бы он, скажем, в папуаса нарядился и пел так в окне, все равно всем бы понравилось, но Муслим все делал с достоинством — понимаете? Это не значит, что он задвинул гостей куда-то на задний план, просто попросил — в декабре! — открыть окна, потому что поклонницы там умирали.

— Неистовствовали…

— Ну, наверное, а мороз стоял такой, что он потом три месяца с бронхитом ходил.

— Муслима Магометовича обожали миллионы женщин, и я хорошо помню, хотя тогда еще был ребенком, какой женский крик стоял в телевизоре, когда он выступал. Так и на рок-концертах-то не кричали...

— Это потому, что сам на сцене он не кричал, а — слово такое красивое есть! — пел, а между пением и криком, согласитесь, все-таки небольшая разница есть.

— Чего многие, увы, не понимают...

— ...и не поймут.

— Певица Ирина Масленникова, супруга патриарха оперной режиссуры Бориса Покровского, предупреждала вас: «Тамарочка, вас ждет тяжелая жизнь — серная кислота в лицо и все такое...». Как в воду глядела?

— Трудно сказать... Жизнь у меня прошла, была разнообразная, а тяжелая ли? Я так не думаю, во всяком случае, серной кислоты, слава тебе Господи, не было. Только девушки, которые дежурили, спали под дверью — они до сих пор приходят.

— Вы, значит, все это прошли?

— Прошла, но убедилась, что с поклонницами надо в нормальных быть отношениях: не заискивать перед ними, а принимать как должное. Я их не гоняла, и они это, видимо, оценили. Муслим принимать цветы не любил...

— ...не царское это дело!..

— ...да, на такие случаи у царя была я. Выходила, принимала, извинялась, что он не может это сделать лично. Они говорили: «Вот передайте, пожалуйста». Сначала со стеклян-

ными глазами, потом с более мягкими, и, в конце концов, когда я в очередной раз сказала: «Сейчас передам», услышала: «А это вам». Я их таким образом воспитала. <...>

— Ну а вас не терзала моментами ревность? Все-таки такая сумасшедшая популярность у женщин...

— Муслим тоже повода не давал, а что касается поклонниц, они артисту необходимы.

— Работа такая...

— Да, хотя... Когда мне приносили букеты, он меня не ревновал, но... напрягался. Все-таки Муслим — кавказский человек, и я это понимала, поэтому своих поклонников тихо-тихо спроваживала: «Спокойнее, ребята!», то есть около театра — пожалуйста, но чтобы не на его глазах. Я же сама артистка, все понимала и просто щадила нервы Муслима...

— ...потому что его любили...

— А что, были сомнения?

— То, что Муслим Магометович — уроженец Кавказа, в быту как-то проявлялось?

— Иногда.

— Он был вспыльчивым?

— Очень вспыльчивым, но безумно отходчивым — вот улыбнется детской улыбкой, и все. Я в такие моменты себе говорила: «Ты-то чего закипела? Чайник, что ли?».

— Вообще, удивительно, что вы так ладили: обычно два актера в одной семье не уживаются...

— ...трудно, трудно...

— ...а когда две суперзвезды, два равновеликих таланта... Как же вы прожили столько лет вместе? Нужен особый дар, наверное, чтобы так притереться друг к другу?

В роли Кончаковны в опере «Князь Игорь»

— Это второе — все-таки первое и главное слово...

— ...любовь. И точка...

— Все правильно.

— Иосиф Кобзон не раз говорил мне, что никогда в истории Советского Союза артиста популярнее Муслима Магомаева не было...

— ...и не будет!»

Тамаре Синявской, ставшей супругой восточного человека, пришлось многому учиться заново, и в первую очередь, особенностям культуры семейных отношений женщин Азии и Востока. В их семье главой всегда был Муслим Магомаев, но делал это так, что жена чувствовала себя госпожой. Не зря Тамара Синявская подчеркивала: тепло и любовь в доме зиждется только на взаимном уважении.

Но, как и любая другая семейная история, история Магомаева и Синявской тоже не лишены драматизма, ведь в жизни этой звездной пары были периоды непонимания, ссор и разногласий, которые могли довести до развода. Но чувства и трезвый рассудок позволили супругам остаться вместе. Когда чувства закипали, Муслим Магомаев отступал, иногда уезжал, давая жене возможность остыть и обдумать ситуацию. Первым на примирение всегда шел он, и за это Тамара была благодарна ему.

Глава 27

«Я ПЕЛ 50 ЛЕТ! ПРОСТО ПЕЛ, КАК ПТИЦА...»

Когда Муслим Магометович в 1998-м ушел со сцены, для многих так и осталось загадкой: почему он решился на такой шаг, отчего перестал не только выступать в сольных, но и выходить в сборных концертах? Что послужило причиной?

Его супруга дала свой ответ:

— Устал. Муслим пел с 14 лет, причем по-настоящему, и к этому возрасту уже напелся. Хоть голос и звучал отлично — последнюю песню «Прощай, Баку!» он написал уже совсем больным и записывал себя сам.

А сам он, давным-давно, когда только появился на солидной эстраде и обрел известность, давая интервью одному из толстых популярных журналов, сказал (как отрезал), что каждый уважающий себя певец должен знать свой срок, и что сам он уйдет с первой «качкой» в голосе. Муслиму было тогда чуть за 20.

— По природе я домосед, не люблю общения ради общения. Поэтому практически не посещаю те-

перешних «тусовок», всех этих приемов-банкетов, где собирается много народу. Считаю, сейчас не мое время. И очень удивляюсь своим ровесникам, которые «тусуются» с молодежью. Я даже слово этого не люблю — «тусовка».

Со сцены я ушел. Ушел незаметно, без громких заявлений. Не хочу, чтобы люди начали замечать... постепенный уход сцены от меня! Сцена — одушевленный организм, который любит и вдохновляет таланты и терпеть не может бездарностей, людей случайных, которых она со временем все равно сталкивает со своих подмостков. Поэтому артист должен очень уважать сцену и не пользоваться ее терпением. Прекрасный певец Пласидо Доминго в своей книге написал, что надо уйти, не дожидаясь, когда буду говорить: «Как, он еще поет? Да он же сам себя не уважает».

И вот теперь не хочу становиться пародией на самого себя. Хочу, чтобы люди запомнили меня, в общем, неплохо выглядевшего и поющего... Лучше, если ко мне будут обращаться с вопросом, почему я ушел со сцены, а не говорить: «Да сколько же он еще можно петь?!» Не хочу доказывать кому-то, что я могу долго петь — зачем? Своим пением надо доставлять удовольствие людям, а не доказывать что-то. Ведь каждому голосу, каждому таланту Господь отпустил определенное время. Зачем перешагивать в другой век? Сейчас все другое — манера пения, музыка, люди стали другими, мир стал другим. Конеч-

«*Со сцены я ушел. Ушел незаметно,
без громких заявлений...*»

но, приятно, что люди тебя узнают, даже когда едешь в машине, оборачиваются, смотрят на тебя. Приятно, когда сетуют на то, что я, дескать, рано ушел. Но лучше уйти, пока узнают, пока говорят, что они опечалены моим отсутствием на эстраде.

Уйдя на покой, король оперы и эстрады стал отшельником, практически ни с кем не встречался, не созванивался, не переписывался. Настойчивые журналисты не раз предпринимали попытки связаться с кумиром миллионов, и если это удавалось, то считалось редкостной удачей. И каждый раз при такой возникшей возможности задавался один и тот же вопрос: почему?

«Муслим Магометович, где вы сегодня? Где можно увидеть и услышать вас?» — спрашивал корреспондент «Новых Известий» Саид Бицоев Муслима Магометовича накануне его юбилея[37]. Разговор состоялся в августе 2007-го.

«— Практически нигде. Я редко выхожу даже из дома. Общаюсь только с узким кругом друзей. А с поклонниками поддерживаю связь через интернет-сайт. Скучать не приходится. Обычно в день рождения или после телепередач меня заваливают письмами. Бываю даже не в состоянии ответить каждому.

— А выйти опять на сцену и выступить с сольным концертом?

— Нет, сколько можно?! Да я и раньше не частил с выступлениями. У меня очень мало специальных телевизионных съемок. Ходить на телевидение для меня было большой

проблемой. Поэтому и записей мало. Вот сейчас друзья готовят мне подарок к юбилею — видеозаписи моих выступлений разных лет. Это альбом из пяти дисков: и классика, и эстрада, и мюзиклы. Вот там можно и увидеть, и послушать Магомаева.

— То есть ни на корпоративах, ни в клубных вечеринках вы не участвуете?

— Я давно сказал, что ухожу. Лучше достойно уйти, когда тебя помнят поющим. А зачем опять возвращаться, как делают некоторые мои коллеги? Нет, ради бога! Их право! Я уважаю Лемешева, которого все запомнили поющим, не смотря на годы. И поющим очень хорошо. Помню еще Марка Осиповича Рейзена, нашего соседа. Человеку было 85, а он вышел и спел Гремина (в последний раз бас Рейзена прозвучал на сцене Большого театра в день его 90-летия в партии князя Гремина в «Евгении Онегине» Чайковского. — «НИ»). И спел очень достойно. Я никак не мог понять — как это можно? Столько лет быть на сцене, сохранить голос, сохранить желание петь. У меня, к сожалению, давно уже нет желания. Потому что я по натуре, простите за сравнение, соловей: хочу — пою, не хочу — не пою. Раньше мы с Тамарой (Синявской — певицей и супругой Магомаева. — «НИ») ездили с концертами, зарабатывали деньги. Иногда по два и даже по три концерта в день. Для меня это было каторгой. Просто так сложилось. Я всегда говорю, что я не Кобзон.

— А Иосифу Давыдовичу поется всегда?

— Получается так. Дело в том, что Кобзон сейчас поет не хуже, чем пел 20 лет назад. Таким же голосом, с таким же на-

строением, так же на сцене сопереживает. Дита (Эдита Пьеха. — «НИ») тоже поет. И дай им бог! Я свое уже отпел. И уже нигде — ни в открытом, ни в самом закрытом в клубе — не буду играть. Недавно очень известный и состоятельный человек попросил меня выступить в маленьком клубе для ограниченного круга друзей. Никто об этом якобы не будет знать. Я сказал: «Я буду об этом знать и перестану себя уважать». Помимо пения у меня были привязанности к рисованию, написанию музыки, да много чего. От всего этого я сильно уставал. Если бы больше ничего не делать, а только петь, то, может, и сейчас бы продолжал.

— Вы чувствуете себя в Москве «лицом кавказской национальности»?

— Нет, никогда. Всегда чувствовал себя бакинцем. Ведь в свое время Баку считался самым интернациональным городом в стране, да простят меня другие республики Советского Союза. Там жили представители всех национальностей, все друг друга любили. И многие из них до сих пор считают себя бакинцами. Вот такая была «национальность». В Америке армяне, азербайджанцы, русские, евреи, когда собираются за столом, всегда называют себя бакинцами».

Муслим Магомаев всегда считал себя азербайджанцем, а про гражданскую принадлежность говорил: «Азербайджан — мой отец, Россия — моя мать». Но при этом всегда подчеркивал святое для него понятие: *я бакинец!*

Баловень судьбы, отошедший от концертной деятельности, наконец наслаждался простыми обыденными делами, своим присутствием в стенах дома рядом с любимой женщи-

Муслим Магомаев погребен на Аллее
почетного захоронения в Баку

ной. И это новое наслаждение преклонных лет возместило ему то, от чего он так (казалось) легко отказался.

— ...главное в том, что я сам перестал получать удовольствие от пения. Чтобы выходить на сцену, нужно хотеть петь. Делать же это с неохотой не хочу. Я пел 50 лет! Начал петь еще в школе, в 14 лет, когда и не думал стать певцом. Просто пел, как птица. Человек поет, потому что не может не петь. И вот с годами радость от этого стала пропадать. До последнего времени, когда мне надо было где-нибудь выступать минут двадцать, я шел и пел. Мог завестись ненадолго на какие-нибудь, скажем так, легкие песни. Но если говорить о такой песне как «Благодарю тебя», то ее не исполнишь в плохом настроении. «Мелодию» тоже не споешь, если не настроишь себя на нее. К сожалению, с возрастом уходит не только задор, но и голос. А мне не хочется, чтобы изменения слышали другие.

В ряду его новых увлечений — давние, заново возрожденные пристрастия: лепка, живопись, сочинительство; «В каждом человеке что-нибудь заложено от природы. Просто один человек в себе это находит, а другой нет».

— Уйти со сцены непросто. Хорошо, если тебе есть еще чем заняться. У меня, слава Богу, с этим проблем нет. Могу и на рояле играть, и музыку пи-

сать, рисовать, могу сесть за компьютер. Иногда день проходит так быстро, что и оглянуться не успеваю — как? уже вечер?

Кстати, еще когда маэстро исполнилось пятьдесят пять, на юбилейном вечере примадонна эстрады Алла Пугачева сказала имениннику: «Вы можете спокойно уходить! Все равно вас будут помнить всегда!» Тем не менее, когда он решился на этот шаг, многие пытались воспрепятствовать его уходу. Тот же бессменный руководителя ансамбля «Мелодия» Георгий Арамович Гаранян решительно отговаривал Муслима Магометовича от «опрометчивого поступка».

— Но Муслим считал, что самое ценное он уже сделал и больше ему добавить нечего. Многие называли его шаг смелостью, не знаю почему. Для него это было естественным.

— Когда-то мне одному из первых сделали предложение заложить именную «звезду» на тротуаре около концертного зала «Россия». Я отверг это сразу. Объяснил, что никогда не любил быть «в толпе». Скажут — нескромно. Возможно, хотя я никогда не считал себя великим, как это делают сейчас многие «звезды» и «звездочки». Зато всегда думал о тех вершинах, до которых мне добираться и добираться, — о великих певцах Энрике Карузо, Марио Ланца, Тито Гобби... Они мои учителя, и я понимал, что мне никогда не достичь их уровня, как звезд на небе. Потому всегда считал себя лишь ищущим музыкан-

том. А все эти бетонные звезды, которые сейчас модно вмуровывать в асфальт, ведь это глупость. Ходит народ, топчет твое имя ногами. Зачем это нужно? Слава сиюминутна. Все мы на этой земле пребываем временно. За свои дела каждый из нас будет отвечать там... А земная мишура — это ведь суета.

Муслима Магометовича (Магомет оглы) Магомаева не стало 25 октября 2008 года. В возрасте 66 лет от ишемической болезни сердца он умер на руках у своей супруги Тамары Синявской. 28 октября 2008 года в Москве, в Концертном зале имени Чайковского, а 29 октября 2008 года — в Азербайджанской государственной филармонии им. М. Магомаева в Баку прошли церемонии прощания с певцом. Люди стекались к зданию филармонии, которая носит имя деда Муслима Магомаева, задолго до того, как ее двери открылись для прощания с легендарным певцом; шли и стар, и млад, и звезды, и рядовые граждане. В руках каждого — цветы, цветы, цветы... Те, кто не смог попасть внутрь, а их тысячи, укладывали букеты прямо на асфальт, рядом со зданием филармонии. В тот скорбный день вся улица была устлана цветочным ковром... И весь Азербайджан, все бакинцы с болью в сердцах слушали его прощальные дивные песни, звучащие над городом...

Похоронили короля советской эстрады на Аллее почетного захоронения рядом с дедом Муслимом Магомаевым-старшим. 22 октября 2009 года здесь появился памятник работы народного художника Азербайджана Омара Эльдарова, — из великолепного белого мрамора, доставленного с Урала.

*«Прощай, любимый, мой неповторимый,
мой незаменимый, невозвратный, прощай!»*

15 сентября 2011 года состоялось торжественное открытие памятника Муслиму Магомаеву в российской столице, в сквере по Леонтьевскому переулку, напротив здания посольства Азербайджана в Москве и дома, в котором жил Магомаев. А годом раньше — в октябре 2010-го в Москве прошёл первый Международный конкурс вокалистов имени Муслима Магомаева.

18 декабря 2014 года в Баку состоялась церемония сдачи в эксплуатацию корабля, носящего имя Муслима Магомаева. В церемонии приняли участие президент Азербайджана Ильхам Алиев, его супруга Мехрибан Алиева и вдова Муслима Магомаева, Тамара Синявская.

Та, что многие годы являлась его преданной супругой, его Любовью и его Мелодией, припоминала такой трогательный эпизод:

— В последнее время Муслим не мог уже даже гулять, но однажды я все-таки вывела его за ворота — пройтись вокруг нашего дома. Люди его увидели (восторженно): «Это вы? Ах, как мы рады! Дай Бог вам здоровья!». Он удивился: «Что, меня еще помнят?». — «Котенька, — я воскликнула, — а как тебя можно забыть?!».

Примечания

[1] Муслим Магомаев «Живут во мне воспоминания». М., ПРО-ЗАиК, 2010

[2] https://ru.wikipedia.org/wiki/Магомаев,_Муслим_Магометович_(старший)

[3] *Ашуг* (ашик) — народный певец-поэт у азербайджанцев и армян, а также других народов Закавказья. Является эквивалентом менестреля в английской и трубадура во французской средневековой традиции. В азербайджанской музыкальной традиции ашуг аккомпанирует себе на народных инструментах. *Мугам* (или Мугамат) — один из основных жанров азербайджанской традиционной музыки, многочастное вокально-инструментальное произведение. Мугам считается азербайджанской разновидностью практики музицирования, распространенной в культурах Ближнего и Среднего Востока. — *Примеч. ред.*

[4] http://www.magomaev.info/book/02.htm

[5] Жуир (от фр. jouir — наслаждаться) (устар.) — весело и беззаботно живущий человек, ищущий в жизни только удовольствий. — *Примеч. ред.*

[6] http://www.muslimmagomaev.ru/node/1991

[7] http://www.muslimmagomaev.ru/node/1991

[8] http://www.mk.ru/culture/cinema/article/2008/12/02/10020-super-geroy-sovetskogo-soyuza.html

[9] Молокане — разновидность духовного христианства, а также особая этнографическая группа русских. В Российской империи были отнесены к «особенно вредным ересям» и преследовались вплоть до указов Александра I, относящихся к 1803 году, которые дали молоканам и духоборам некоторую свободу. Молокане представляют собой не единую церковь, а скорее религиозное движение с единым корнем, но с большими различиями во взглядах, песнопениях, учении, соблюдаемых праздниках. — *Примеч. ред.*

[10] https://ru.wikipedia.org/wiki/Магомаева,_Айшет_Ахмедовна

[11] http://dramantre.ru/segodnya-90-let-so-dnya-rozhdeniya-aktrisy-ajshet-magomaevoj-sluzhivshej-v-murmanske.html

[12] http://www.trend.az/life/culture/1658649.html; источник: www.kp.kz

[13] Каватина (итал. cavatina, уменьшительное от итал. cavata) — небольшая лирическая оперная ария. Произошла от каваты. С конца XVIII века часто — выходная ария в опере (каватина Фигаро в опере «Севильский цирюльник», каватины Князя, Алеко). — *Примеч. ред.*

[14] Филировать — одно из значений: тянуть звук, постепенно его усиливая и затем так же постепенно ослабляя, сводить на нет (на музыкальных инструментах и в пении). — *Примеч. ред.*

[15] https://ru.wikipedia.org/wiki/Магомаев,_Муслим_Магометович

[16] http://www.eg.ru/daily/cadr/11456/; http://www.trend.az/life/interesting/1359781.html

[17] http://www.eg.ru/daily/cadr/11456/

[18] *Карибский кризис* — исторический термин, определяющий чрезвычайно напряжённое политическое, дипломатическое и во-

енное противостояние между Советским Союзом и Соединёнными Штатами в октябре 1962 года, которое было вызвано тайной переброской и размещением на Кубе военных частей и подразделений Вооруженных Сил СССР, техники и вооружения, включая ядерное оружие. Что явилось ответом СССР на размещение США в Турции (стране-участнице НАТО) ракет средней дальности «Юпитер», которые могли достигнуть городов в западной части Советского Союза, включая Москву и главные промышленные центры СССР. — *Примеч. ред.*

[19] http://www.mmv.ru/person/abramovitch.htm

[20] http://persons-info.com/persons/ABRAMOVICH_Boris_Aleksandrovich

[21] http://www.pandia.ru/text/79/450/19447.php

[22] Отдел по борьбе с хищениями социалистической собственности (ОБХСС) — отдел по борьбе с хищениями социалистической собственности в организациях и учреждениях государственной торговли, потребительской, промышленной и индивидуальной кооперации, заготовительных органах и сберкассах, а также по борьбе со спекуляцией. — *Примеч. ред.*

[23] http://www.eg.ru/daily/cadr/11456/

[24] http://1news.az/bomond/bomaz/20140127121516392.html

[25] http://www.eg.ru/daily/cadr/11456/

[26] http://www.mk.ru/culture/cinema/article/2008/12/02/10020-super-geroy-sovetskogo-soyuza.html

[27] http://www.segodnya.ua/culture/showbiz/tsarckoe-nacledctvo-mahomaeva-vovleklo-eho-cemju-v-ckandal.html

[28] http://sobesednik.ru/scandals/20120810-syn-muslima-mago-maeva-otkazalsya-ot-nasledstva

[29] http://www.kp.ru/daily/24190.3/397183/

[30] http://www.trend.az/life/interesting/1359781.html

[31] https://ru.wikipedia.org/wiki/Добронравов,_Николай_Николаевич

[32] http://www.kp.ru/daily/24390.5/568944/

[33] http://forum.ladoshki.ch/showthread.php?26634-И-жизнь-и-слезы-и-любовь-Тамара-Синявская&s=d57c11035920fd2d0d0a7940833360bf

[34] http://www.trend.az/life/culture/1565643.html

[35] https://ru.wikipedia.org/wiki/%D1%E8%ED%FF%E2%F1%EA%E0%FF,_%D2%E0%EC%E0%F0%E0_%C8%EB%FC%E8%ED%E8%F7%ED%E0

[36] http://forum.ladoshki.ch/showthread.php?26634-И-жизнь-и-слезы-и-любовь-Тамара-Синявская&s=d57c11035920fd2d0d0a7940833360bf

[37] http://www.shanson.org/forum/showthread.php?t=413

СОДЕРЖАНИЕ

Литературно-художественное издание

МУЖЧИНЫ, ПОКОРИВШИЕ МИР

Бенуа Софья

МУСЛИМ МАГОМАЕВ
Преданный Орфей

Редактор *О.И. Григорьева*
Художник *Ю.Р. Пономарева*

ООО «Издательство «Алгоритм»
Оптовая торговля:
ТД «Алгоритм» 617-0825, 617-0952
Сайт: http://www.algoritm-kniga.ru
Электронная почта: algoritm-kniga@mail.ru
Интернет-магазин: http://www.politkniga.ru

Өндірген мемлекет: Ресей
Сертификация қарастырылмаған

Подписано в печать 20.03.2015.
Формат 60х84¹/₁₆. Печать офсетная. Усл. печ. л. 14,93.
Тираж 1 500 экз. Заказ 2430

Отпечатано с готовых файлов заказчика
в АО «Первая Образцовая типография»,
филиал «УЛЬЯНОВСКИЙ ДОМ ПЕЧАТИ»
432980, г. Ульяновск, ул. Гончарова, 14

ISBN 978-5-906789-33-4